Pascal Garnier (1949-2010) est une figure marquante de la littérature française contemporaine, dans la lignée des Simenon, Hardellet, Bove ou Calet auxquels on l'a souvent affilié. Ayant élu domicile dans un petit village en Ardèche, il s'y consacrait à l'écriture et à la peinture.

Pascal Garnier

LA THÉORIE DU PANDA

ROMAN

Zulma

TEXTE INTÉGRAL

isbn 978-2-7578-6538-5
(isbn 978-2-84304-435-9, 1ʳᵉ publication)

© Zulma, 2008

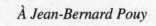

À Jean-Bernard Pouy

« Fuir le bonheur de peur qu'il se sauve… »

Serge GAINSBOURG

Il est assis, seul au bout d'un banc. C'est un quai de gare désert où s'enchevêtrent des poutrelles métalliques sur fond d'incertitude. La gare d'une petite ville de Bretagne, un dimanche d'octobre. Ça ressemble à n'importe où mais c'est bien la Bretagne, enfin, celle de l'intérieur, la mer est loin, insoupçonnable, rien de pittoresque. Il flotte dans l'air une vague odeur de lisier. Une pendule propose 17 h 18. Tête baissée, les coudes sur les genoux, il regarde les paumes de ses mains ouvertes. Il se dit que dans les trains on a toujours les mains sales. Pas vraiment sales mais poisseuses de cette sueur grise, sous les ongles surtout, celle des autres qui ont touché avant vous les poignées, les accoudoirs, les tablettes. Il les referme, redresse la tête. Parce que l'immobilité totale qui l'entoure semble le provoquer, il se lève, empoigne son sac de voyage, remonte le quai sur une dizaine de mètres et emprunte le passage souterrain en direction de la sortie. Il ne croise personne.

D'un coup de dent il déchire l'enveloppe de plastique qui protège la minuscule savonnette et se lave les mains longtemps. Le lavabo est muni de deux robinets ce qui l'oblige à passer de l'un à l'autre car l'eau coule brûlante de celui de gauche et glacée de celui de droite. Il ne se regarde pas dans le miroir, il s'est juste entrevu parce qu'on ne peut pas faire autrement, comme un passant anonyme au coin d'une rue. La serviette est à peine plus grande qu'un mouchoir, en nid-d'abeilles, le modèle classique des hôtels modestes. Il fait le tour de la chambre en s'essuyant les mains. Une table, une chaise, un lit, une armoire contenant un oreiller, une couverture écossaise à dominante vert amande et trois cintres. Tout du même faux bois, agglo, plaqué palissandre. Il jette la serviette sur le couvre-lit de chenillette marron. On étouffe. Le radiateur n'offre que deux possibilités, ouvert, fermé. Un jour il s'est débarrassé d'une portée de chatons enfermés dans une boîte à chaussures tapissée de coton imbibé d'éther. Ça n'avait pas duré longtemps, les miaulements, les coups de griffe. Son sac au pied du lit, les anses sur les flancs, la languette de la fermeture à glissière pendante, ressemble à un vieux chien éreinté. D'un coup sec il tire le rideau et ouvre la fenêtre en grand. Toujours cette odeur de lisier. Un réverbère vaporise une lumière blafarde sur une demi-douzaine de box obturés par des portes de tôle ondulée d'une même couleur indéfinissable. Au-dessus, un ciel, parce qu'il en faut bien un, toujours.

Le lit est aussi mou que le plafond est dur. La coupelle en verre dépoli de la suspension évoquant maladroitement une sorte de fleur épanouie n'arrive pas à l'égayer. Il l'éteint.

– Vous savez où l'on peut dîner par ici ?
– Un dimanche soir ?… Essayez le Faro, la deuxième rue à gauche en descendant le boulevard. Mais je ne sais pas s'il est ouvert. Je vous donne le code au cas où vous rentreriez après minuit ?
– C'est inutile, je serai de retour avant.

La réceptionniste s'appelle Madeleine à en croire la médaille qui pend à son cou. Sans être belle, elle n'est pas laide. Disons qu'elle hésite entre les deux. Mais elle est franchement brune. Une ombre de moustache surligne sa lèvre supérieure.

Quelques boutiques éteintes sur le boulevard, pareilles à des aquariums vides. Une voiture passe dans un sens, deux dans l'autre. Aucun piéton.

Le Faro est plus un bistrot qu'un restaurant. Hormis le patron assis derrière le comptoir, un stylo dans la bouche, absorbé par quelques tâches obscures de comptabilité, l'endroit est désert.

– Bonsoir. On peut dîner ?
– Je ne fais pas restaurant ce soir.
– Ah… Alors un Coca… Non, un demi.

Descendu de son tabouret, l'homme ne doit guère dépasser un mètre soixante-cinq. Trapu, le poil dru, un sanglier doté d'un regard de biche tamisé par de longs cils recourbés à leur extrémité. Il tire une bière, la pose sur le comptoir après avoir donné machinalement un coup de torchon dessus.

– D'habitude, je fais restaurant, mais pas ce soir.

– Tant pis.

Un moment il reste là, embarrassé, les yeux baissés, agitant son torchon, puis regagne brusquement son tabouret derrière la caisse.

À part les quatre lampes de cuivre qui douchent le bar, le reste de l'établissement est plongé dans l'obscurité. Sans doute parce qu'il n'y a aucun client. On distingue des tables, des chaises et plus loin, dans l'arrière-salle, des jouets d'enfant, un tracteur à pédales, des cubes, des legos, un livre ouvert, des feuilles de papier, des feutres éparpillés.

Il ne touche pas à son demi. Peut-être n'en a-t-il pas vraiment envie.

– Vous vouliez manger ?

– Oui.

– C'est ma femme qui fait la cuisine. Mais elle est à l'hôpital.

– Désolé.

Pendant un moment on n'entend plus que le pétillement de la mousse à la surface de la bière.

– Vous aimez le ragoût de morue ?

– Oui... Je crois.

– Il m'en reste. J'allais fermer. Si ça vous tente...

– Je veux bien.

– Installez-vous. Non, pas dans la salle, venez.

L'arrière-salle s'illumine soudain d'une clameur de néon jaune citron. Ensemble, ils enjambent le tracteur à pédales, les cubes, les legos, les feuilles de papier maculées de dessins d'enfant aux couleurs criardes.

– Mettez-vous là.

14

La table à laquelle il prend place fait face à un téléviseur monumental. Elle est recouverte d'une toile cirée à motifs de marguerites blanches sur fond vert pomme.

– J'en ai pour un instant.

Avant de se retirer, le patron appuie sur un bouton de la télécommande. L'écran vomit un flot d'images incohérentes et de sons tonitruants comme le sang d'une gorge tranchée, un gargouillement continu.

… MAIS LE BILAN EST PROVISOIRE. EN IRLANDE DU NORD…

– *Bacalao* !

Le patron pose sur la table deux assiettes pleines à ras bord de morue, de pommes de terre, poivrons, tomates ainsi qu'une bouteille de *vinho verde*.

– Bon appétit.

– Merci.

… LES PARENTS ONT LANCÉ UN MESSAGE AUX RAVISSEURS. ON LES ÉCOUTE…

– C'est Marie, ma femme, qui le fait mais c'est moi qui lui ai appris. Je suis portugais, elle est bretonne. Elle savait faire que des crêpes. Elle en fait toujours. On est en Bretagne alors il faut faire des crêpes pour les Bretons. Vous êtes breton ?

– Non.

– Je m'en doutais.

– Pourquoi ?

– Le Breton avale son demi cul sec, pas vous.

– C'est grave ?

– Quoi ? De ne pas être Breton ?

– Non, votre femme.

– Non. Un kyste. Elle est solide. C'est la première

fois qu'elle est malade. Je l'ai conduite à l'hôpital ce matin. Les enfants sont chez leur grand-mère. C'est mieux pour eux.

… L'ACCIDENT N'A HEUREUSEMENT FAIT AUCUNE VICTIME. DE NOTRE ENVOYÉ SPÉCIAL AU CAIRE, LAURENT PÉCHU…

– Vous en avez combien ?

– Deux, un garçon et une fille, Gaël et Maria, sept et cinq ans.

… IL POURRAIT S'AGIR D'UNE ERREUR HUMAINE…

– Et vous, vous avez des enfants ?

– Non.

– Vous êtes marin ?

– Non.

– Je disais ça à cause du caban.

– C'est un vêtement pratique.

… À LA MI-TEMPS, LE SCORE ÉTAIT DE TROIS À DEUX…

La morue n'est pas assez dessalée. Il n'aime pas le *vinho verde*, il préférerait de l'eau mais il n'y en a pas sur la table. Il suffirait d'en demander… le patron ne refuserait pas… C'est comme pour le demi qu'il n'a pas bu… C'est idiot…

– Vous connaissez le Portugal ?

– Je suis allé à Lisbonne.

– Une belle ville ! Grande ! Moi, je suis de Faro. C'est joli aussi, mais plus petit. Je suis venu en France en soixante-dix-sept, à Saint-Étienne, maçon. Et puis…

… TRIOMPHE À L'OLYMPIA. ÉCOUTONS L'UN DE SES FANS…

16

– … alors j'ai laissé tomber le bâtiment pour tenir le restaurant avec Marie. Vous voulez un café ?

– Non, merci.

– Ah…

… TEMPS COUVERT MAIS AVEC DE BELLES ÉCLAIRCIES EN FIN DE JOURNÉE…

– C'était très bon. Je vous dois combien ?

– Euh… Dix euros. Je ne vous fais pas payer la bière.

– Merci.

… EXCELLENTE SOIRÉE ET RESTEZ AVEC NOUS SUR LA UNE !…

– Je pensais dîner seul ce soir et puis… Je m'appelle José. Et vous ?

– Gabriel. À demain.

– Oui, à demain… Mais tant que Marie sera à l'hôpital je ne fais pas restaurant.

– Ça ne fait rien.

– Vous avez un frigo ?

– Oui…

– Vous pouvez mettre ça dedans jusqu'à ce soir ?

– Qu'est-ce que c'est ?

– De la viande.

– Bien sûr, pas de problème.

– Merci.

L'ombre de moustache sur la lèvre de Madeleine s'estompe d'un gentil sourire en recevant dans ses mains offertes les cinq cents grammes d'épaule d'agneau désossée. Si l'on fixait l'image, on en tirerait une sorte de scène biblique. Aujourd'hui, Madeleine a choisi d'être belle.

Le cintre de fil de fer, plus conçu pour supporter les tenues d'été, ploie douloureusement sous le poids du caban mouillé. Il pleut depuis tôt ce matin, une pluie fine qui s'harmonise parfaitement à la ville, lui donne une certaine élégance, un verni de respectabilité. Il s'en est réjoui dès qu'il a ouvert les yeux, comme de ces chagrins qui font du bien, une compagnie discrète, une présence intime.

Il y avait des gens dehors, des mamans accompagnant leurs enfants à l'école, des ménagères aux bras prolongés de cabas dodus. Des femmes surtout. Les hommes creusaient des trous dans la chaussée pour en extraire des tuyaux pourris, rongés par la rouille, qu'ils remplaçaient par des neufs en plastique gris. Ils faisaient beaucoup de bruit et semblaient aimer ça comme de manœuvrer leurs gros engins orange aux roues crantées dans la boue d'un jaune de pus. Ça allait comme un lundi. Les boutiques offraient ce qu'elles avaient de mieux avec la coquetterie maladroite d'une jeune fille s'apprêtant pour son premier bal : du pain, des fleurs, des poissons, des urnes funéraires, des médicaments, des articles de sport, des maisons à louer ou à vendre, des assurances pour tout, des meubles, des luminaires, des chaussures...

Il en avait essayé une paire juste parce que la vendeuse semblait s'ennuyer toute seule dans son beau magasin rutilant. Mais il ne l'avait pas achetée. Il s'était excusé en disant qu'il allait réfléchir. Ce n'était pas une vente mais un espoir quand même. Il suffit de peu de chose pour faire plaisir aux gens.

Puis il s'était arrêté dans un café boire un chocolat chaud. À la table à côté, deux jeunes hommes empesés dans des costumes de mauvaise coupe discutaient affaire avec le sérieux des enfants qui jouent aux grandes personnes. D'après ce qu'il comprenait, leur souci était de se débarrasser de deux cents palettes de biberons et d'autant de tétines malheureusement incompatibles.

– En Afrique, je ne vois que ça...

C'est en sortant du café qu'il était passé devant la boucherie. L'épaule d'agneau roulée et décorée d'un ravissant brin de persil l'avait ému. On aurait dit l'enfant Jésus.

Le radiateur s'entête à diffuser une chaleur de serre. Il se sent pris d'une espèce de fièvre tropicale. Le lit se fait hamac et une mangrove de souvenirs se referme sur lui, incohérente, inextricable.

Là-bas aussi il y avait des jouets épars dans la maison vide.

– Tu comprends, Gabriel, elle avait tout… Tout !…

D'un geste de semeur, son copain Roland comblait la vacuité du pavillon qui sentait encore la peinture fraîche.

– Tu vas pas me dire qu'on n'aurait pas pu être heureux, ici !

Gabriel n'avait rien trouvé à répondre. Un hochement de tête, c'est tout. L'endroit était pire que s'il avait été dévasté puisqu'il n'avait pratiquement pas été occupé. Nadine, l'épouse de Roland, était partie avec les enfants une semaine à peine après leur arrivée. Tout était désespérément neuf. La plupart des meubles étaient encore emballés dans leur housse de plastique.

– « J'aime pas les poulets… », c'est tout ce qu'elle m'a donné comme explication. Mais merde ! Elle aurait pu me le dire avant !… J'aurais fait du porc… Ou autre chose… T'as vu les hangars, ils sont loin de la maison, on ne sent rien, on n'entend rien. Un

élevage de deux mille poulets, un modèle du genre, y a pas plus moderne ! En dix ans je remboursais tout ! T'as vu, Gabriel, c'est du haut de gamme, non ?

Il avait vu. Roland lui avait fait visiter. C'était terrible. On ne pouvait pas ne pas penser immédiatement aux camps d'extermination. Deux mille poulets albinos, éclairés jour et nuit au néon, piaillant, tapant du bec comme des jouets fous, sous dix mètres de tôle. Une odeur épouvantable, fade, que la chaleur ambiante épaississait jusqu'à l'écœurement. Il avait dû sortir précipitamment pour ne pas vomir. Longtemps après, ses yeux grouillaient encore de cette vision apocalyptique.

Roland pleurait doucement, poings fermés, le front contre la vitre.

– Ce matin on m'a livré le portique. Si tu savais combien de fois j'ai rêvé aux gosses sur la balançoire, leurs rires... Pourquoi elle m'a pas dit plus tôt qu'elle aimait pas les poulets ?...

Ça peut être joli, le Loiret, au printemps. La structure tubulaire du portique s'élevait, raide, entre deux massifs d'hortensias. Il avait cuisiné une blanquette pour Roland, c'est doux, la blanquette. Mais Roland y avait à peine touché. Il buvait verre sur verre en répétant : « Pourquoi ?... Pourquoi ?... »

Deux jours plus tard il avait appris que Roland s'était pendu au portique.

Oui, là-bas aussi il y avait des jouets épars...

– Vous voulez récupérer votre viande ?
– S'il vous plaît.

– Une seconde, je vais la chercher.

Quelqu'un vient d'arriver ou s'apprête à partir. Deux grosses valises encombrent le hall.

– Voilà. C'est quoi, comme viande ?

– De l'agneau, de l'épaule.

– Au four ou en cocotte ?

– Au four. Juste avec des oignons, de l'ail et du thym.

– C'est comme ça que je le préfère aussi. C'est vous qui cuisinez ?

– Oui. Ça m'amuse. C'est pour des amis.

– Il faudra m'inviter, un jour !

– Pourquoi pas ?

– Eh bien bonne soirée. Prenez quand même le code cette fois. Les dîners, on s'attarde...

– Si vous voulez. Bonsoir... Madeleine.

– Qu'est-ce que c'est ?

– De l'épaule d'agneau.

– Pourquoi vous m'offrez de l'épaule d'agneau ?

– Je me proposais de la cuisiner pour nous deux, ici, ce soir.

Les yeux écarquillés de José font plusieurs fois l'aller-retour entre le paquet de viande déjà rougi de sang et le visage impassible de son client debout derrière le bar.

– C'est… C'est une drôle d'idée !

– Vous trouvez ? Je suis passé devant une boucherie ce matin, la viande était belle. Mais peut-être votre épouse est-elle rentrée de l'hôpital ?

– Non, encore quelques jours…

José a l'air troublé. Deux hommes, des habitués sans doute, ont suspendu leur partie de quatre-cent-vingt-et-un pour les regarder, sourcils circonflexes, de l'autre bout du comptoir.

– Je vous sers quelque chose ?

– Un demi, comme d'habitude.

José le sert, s'excuse et va rejoindre les deux hommes près de la caisse. Ils échangent quelques mots à voix basse. Les joueurs hochent la tête d'un air entendu et reprennent leur jeu tandis que José revient vers son client, le torchon sur l'épaule.

– Bon ben, d'accord.

– Vous pouvez m'indiquer la cuisine ?

– Suivez-moi.

Les lieux sont modestes mais bien équipés et très propres.

– Les casseroles et les plats sont dans ce placard, les couverts dans ce tiroir…

– Je saurai me débrouiller.

– Alors, je vous laisse…

– Pas de problème, j'en ai pour une demi-heure. Vous préférez les pommes de terre ou les flageolets ?

– Faites à votre idée… Dites, pourquoi vous faites ça ?

– Je ne sais pas. Ça m'a paru naturel. Vous êtes seul, moi aussi. Ça ne vous gêne pas, j'espère ?

– Non !… C'est juste que c'est pas courant, quoi.

L'agneau a tenu ses promesses, savoureux, cuit à point, rosé à l'intérieur, croustillant tout autour. Il n'en reste que des bouts de ficelle au fond des assiettes. Les pommes boulangères, fondantes à souhait, ont disparu elles aussi. En sortant de la cuisine, le plat fumant et grésillant entre les mains, il avait trouvé José assis devant la table dressée, dans l'attitude un peu guindée de l'invité d'un soir. Perplexe, il fixait son reflet dans l'écran noir de la télé qu'il n'avait pas osé allumer. On avait envie de lui dire : « Détendez-vous, faites comme chez vous. »

Ils ont mangé avec appétit, n'échangeant que des grognements de satisfaction ponctués de sourires timides.

Une fois repu, José se renverse sur sa chaise, la mine réjouie.

– Alors là, bravo ! Faudra me donner la recette pour Marie.

– Il n'y a rien de compliqué, tout dépend de la qualité des produits.

– Quand même… Vous êtes cuisinier ?

– Non. J'aime bien faire la cuisine de temps en temps, pour le plaisir.

– Vous êtes doué. Vous aimez le porto ?… J'en ai du vieux, du vrai de vrai. C'est mon beau-frère qui me l'envoie de là-bas. On n'en trouve pas de pareil ici. Sortis du cidre et du chouchen, de vrais sauvages… Une seconde, vous allez m'en dire des nouvelles !

Les jouets ont disparu. Il n'y avait pas fait attention jusque-là. Sans la télé à plein volume, sans les jouets éparpillés, il se sent soudain perdu, presque déçu, l'impression d'avoir raté quelque chose, un train… Son cœur se met à battre comme s'il venait de courir.

– Tenez, goûtez-moi ça !

José sert le vin épais, sirupeux, ambré, pareil à du sang, dans deux petits verres. Dès la première gorgée, on se sent aussitôt l'intérieur tapissé d'un velours cramoisi.

– Ça vous dirait d'écouter du fado ? Amália Rodrigues, vous connaissez ?

– Un peu.

– Une reine ! Attendez…

José rebondit sur ses jambes torses jusqu'à la salle. On perçoit un cliquetis de cassette enclenchée puis la voix de la chanteuse s'élève dans le noir, déchirante, perlée de sanglots.

– C'est beau, non ?… Pour moi c'est la plus belle musique du monde. Vous n'avez jamais le mal du pays, vous ?

– Je ne sais pas. Ça doit m'arriver.

– Au fait, c'est quoi votre pays ?

– Je me déplace souvent.

– Mais vous êtes bien né quelque part ?

– Forcément, bien sûr…

N'obtenant pas de réponse plus précise, José reverse à boire.

– Au fond, ça ne me regarde pas. Je demande ça parce que quand on fait connaissance on pose toujours ce genre de question.

– C'est normal. De quoi parle cette chanson ?

– Toujours pareil, de cœurs brisés, de quelqu'un qui s'en va, d'un autre qui reste. La vie, quoi.

– Votre femme vous manque ?

– Oui. Depuis qu'on est mariés, c'est la première fois qu'on est séparés. Je ne sais plus dormir seul. La nuit dernière, je n'ai pas pu. J'ai fait le ménage partout, comme si je la cherchais sous les meubles. C'est idiot, non ?

– Non, pas du tout.

– Je suis allé la voir ce matin à l'hôpital, mais elle dormait. On m'a dit que l'opération s'était bien passée.

– Tant mieux.

– Oui… C'est une histoire de deux ou trois jours… Il pleuvait ce matin. Il pleut souvent ici, des jours, des semaines entières…

Amália Rodrigues s'est tue. Comme pour confirmer ce que vient de dire José, on entend les gouttes crépiter sur un toit de zinc dans la cour de derrière.

– Vous n'avez jamais pensé à vous installer au Portugal ?

– Si, mais Marie est bretonne. Pour elle, le Portugal, c'est les vacances.

– Et pour vous la Bretagne ce n'est pas les vacances.

– Non. C'est la vie. Les enfants sont nés ici, vous comprenez…

Une voiture passe dans la rue, comme une vague dans le silence.

– Vous ne buvez pas ?

– Non, merci, ça va. D'ailleurs je vais aller me coucher.

– Il n'est pas tard…

– Je me lève tôt.

– Ah… Ça m'a fait plaisir. Vous revenez demain ?

– Sans doute.

– Aux copains, tout à l'heure, ceux qui jouaient au quatre-cent-vingt-et-un, je leur ai dit que vous étiez un cousin de Marie. Ça aurait été compliqué de leur expliquer.

– Vous avez bien fait.

– Alors à demain, mais c'est moi qui vous invite !

*C'était une grotte, une grotte d'aujourd'hui, en
béton, tassée d'ombre, au fond d'un parking souterrain. Des hommes y avaient vécu, y vivaient
encore, parfois, laissant sur les murs les traces
d'un rite désespéré, virgules d'excrément, graffitis
obscènes, coulures de vin, d'urine ou de vomi. Des
matelas crevés, des couvertures souillées pourris-
saient en tas comme des dépouilles d'animaux,
grouillantes de puces, de poux, de morpions qui les
animaient d'une seconde vie. Ça puait, mais moins
que dehors où il faisait si froid que les odeurs
n'existaient plus. La silhouette de Simon, accroupi
sur ses talons, se découpait à la façon des peintures
flamandes au-dessus d'un Bleuet sur lequel était
posé en équilibre précaire une boîte vide de petits
pois d'où s'élevaient des vapeurs d'alcool à brûler.
Ses mains gantées de mitaines effilochées mainte-
naient, l'une le réchaud, l'autre un poulet par le
cou, au-dessus des flammes.*

*– Elle aurait pas pu te donner un poulet cuit cette
vieille conne ?*

– Elle sortait du supermarché. On venait de lui en

28

donner deux pour le prix d'un. C'est gentil quand même.

– L'enfer est pavé de bonnes intentions. Qu'est-ce qu'ils croient, qu'on a le confort moderne ? Passe-moi donc un coup de rouge.

L'œil tuméfié de Simon larmoyait sous l'écharpe drapée en cagoule autour de sa tête. Il engloutit le goulot dans sa bouche édentée aux lèvres gercées et s'envoya une longue rasade sans quitter des yeux le croupion du poulet qui commençait à noircir au-dessus des flammes.

– Tu crois pas qu'il va cramer ?

– La peau seulement. Faudra gratter. Je le retourne.

Simon inversa la position du poulet en le saisissant par les pattes. La crête s'enflamma et il dut souffler dessus.

– Et la tête, et la tête, alouette, alouette… Allume-moi un clope, on en a pour un moment.

Gabriel alluma une Gitane tordue et la lui tendit. Il commençait à se réchauffer, plus à cause de la lumière du feu que de la chaleur qu'il dégageait. Il enleva ses baskets trouées et se massa les pieds. Il ne les sentait presque plus tant il avait marché et marché… On marche beaucoup quand on ne va nulle part. À son tour il but du vin. Puis, des multiples couches de hardes dont il était vêtu, il tira les pages froissées d'un quotidien qui protégeait sa poitrine.

– Qu'est-ce qu'on dit dans le journal ?

– Ils vont faire une loi pour interdire de fumer dans les lieux publics.

29

– *C'est bien une idée de fumeur de cigares, ça !*

On ne savait jamais si Simon riait ou pleurait. Une toux sèche le secouait également comme un sac à moitié vide.

– *Ils pensent qu'à notre bien, quoi. Question ceinture de sécurité, ils en connaissent un rayon, ces cons-là ! Plus de tabac, plus d'alcool, plus de gras, plus de sucre, plus de cul... Comme s'ils ne voulaient plus qu'on meure. Si c'est pas gentil !... Quoi d'autre ?*

– *Un ingénieur qui vient d'inventer un tissu à l'épreuve de tout, du froid, du chaud, et même des balles. Le Vatican en a commandé pour le pape.*

– *Et le paradis, ça le branche plus ? Pense qu'à ses vieux os, comme n'importe quel connard. Tiens, occupe-toi un peu du poulet, j'en ai plein les bras.*

À présent, la volaille était noire aux deux extrémités. La peau se décollait de la chair comme les écailles de peinture sur les tuyaux de plomb du squat dont ils s'étaient fait chasser trois jours auparavant.

– *Paraît que le plomb c'est pas bon non plus pour la santé.*

– *J'comprends ! Un jour, à Marseille, j'ai vu un type qui en était truffé. Il a fallu cinq hommes pour le porter !*

À nouveau, une quinte de toux plia Simon en deux. Mais là, il riait à cause de sa blague sur le plomb.

– *C'est la vie qu'est mortelle, c'est tout. Surtout pour les pauvres. Pour être en bonne santé, faut* habiter dans une villa sur la Côte d'Azur et te faire servir par un loufiat en gants blancs. Et encore ! le soleil, ça te colle le cancer de la peau. Tourne le poulet, y va être cuit que d'un côté... Pas comme ça, merde ! tu vas tout foutre en l'air !... Allez, t'es trop con, laisse-moi faire.

L'atmosphère confinée était saturée de fumée, d'alcool, de chair brûlée, de mégots. Tous deux se déplaçaient à croupetons, comme des singes dans une cage. Plus rien n'avait de forme précise, les hommes n'étaient plus des hommes ni le poulet un poulet, rien que des ébauches ratées, froissées en boule et balancées dans ce trou puant. Simon tenait le volatile par les pattes et la tête, on aurait dit qu'il avait un guidon entre les mains, qu'il fonçait à moto, droit devant lui, droit dans le mur.

— Jeanne d'Arc.

— Quoi, Jeanne d'Arc ?

— C'est la seule femme que j'ai aimée.

— C'est le poulet qui te fait penser à elle ?

— Peut-être... Ou bien le pape, je sais pas... Tout même j'avais sa photo sur moi. Je me branlais dans les chiottes en la regardant, toute moulée dans sa petite armure chromée, avec sa coupe de petit garçon bien propre et son drapeau flottant au vent. Qu'est-ce que j'aurais pas donné pour avoir un ouvre-boîte !... Passe-moi la bouteille, après, je te raconte.

Simon vida ce qui restait de vin d'un trait, puis se mit à se balancer d'avant en arrière, le regard fixe,

31

les mains crispées sur son guidon de poulet, lancé à pleine vitesse.

– Un jour je suis allé à Rouen. Pour d'autres c'est La Mecque ou Lourdes, pour moi c'était Rouen et je me suis installé sur la place où on l'avait cramée pour faire la manche. Jamais je me suis fait autant de pognon, ça tombait comme à Gravelotte ! Presque trois cents balles, parole ! La cuite que je me suis pris ce soir-là !... Dément ! Et alors que je pissais contre un mur, je l'ai vue, toute nue, devant moi, souriante, les bras et les jambes grands ouverts, et elle m'a dit : « Simon, tu en as mis du temps ! » Et je l'ai baisée, baisée comme j'avais jamais baisé de ma vie, tout debout contre ce putain de mur et, tu me croiras si tu veux, mais le mur s'est mis à gonfler, à gonfler, comme si je l'engrossais, et au moment où j'allais tout balancer, il s'est écroulé sur moi mais sans me faire aucun mal et derrière ce mur... derrière ce mur, il y avait...

À force de revivre la scène avec tant d'intensité, le coude de Simon heurta le réchaud. L'alcool se répandit sur lui le transformant en torche vivante tandis que le poulet entamait le premier vol de sa courte vie pour atterrir sur les genoux de Gabriel. Simon hurlait en se tapant les côtes comme pris d'un fou rire en tournant sur lui-même. C'était hallucinant, foudroyant de puissance comme l'éruption d'un volcan. Gabriel était incapable de la moindre réaction, abruti de vin et d'une autre chose qu'il n'aurait pu définir, une sorte d'extase. Simon se jeta sur le tas de matelas et de couvertures et se roula *dedans jusqu'à ce qu'une épaisse fumée le rendit invisible. Gabriel enfila ses baskets, ramassa son sac, le poulet et s'enfuit à toutes jambes. À bout de souffle, il s'arrêta au bord de la Seine et se mit à dévorer le poulet à moitié cuit, jusqu'à la stupeur, en se demandant ce qu'il pouvait y avoir derrière ce putain de mur.*

Gabriel déchire des lambeaux de barbe à papa et les laisse fondre lentement dans sa bouche. On ne devrait se nourrir que de nuages... Devant lui tourne un manège : un éléphant, une voiture de pompiers, un cygne blanc, une moto... À mesure que sa vitesse s'accroît, chaque élément se fond en un même mélange de couleurs et de lumières violentes d'où jaillissent des cris stridents d'enfants sur fond de limonaire entêtant. Il n'a jamais revu Simon. Fondu, lui aussi ? Il y a si longtemps qu'il n'est pas vraiment sûr que ça se soit passé dans le parking souterrain. Le poulet, oui, il s'en souvient, un goût de charbon et de chair crue. Ses doigts collent. Faute de mouchoir il les essuie sous le banc. Il flotte dans l'air des odeurs de friture et de sucre chaud. Même la pluie est sucrée. Personne ne semble y faire attention. Les gens vont et viennent comme s'il faisait soleil, comme s'ils étaient heureux. Comme si. C'est une toute petite fête foraine, le minimum, un manège, une loterie, un stand de tir, un marchand de friandises. Il est tombé dessus presque par hasard après avoir traversé le pont qui enjambe la rivière. Il n'a jamais été aussi loin dans la ville au point qu'il a l'impression d'être dans une autre ville. Dès qu'on est en marche on va toujours trop loin. On ne s'en rend compte que quand il faut revenir. Parce qu'il faut toujours revenir.

– Romain, ne te penche pas !… Tiens-toi !…

Le petit garçon n'écoute pas sa mère. Il ne l'entend plus. Il rit, au bord de l'hystérie, trépignant debout dans son éléphant qui charge, furieux, emporté par son énorme poids. Il écrase tout sur son passage, la voiture de pompiers, le cygne blanc, la maman qui crie, les mains en porte-voix, la mairie, la poste, la gare, la ville entière. C'est un éléphant que sa morne fonction rotative a rendu fou. L'enfant et l'éléphant ne font plus qu'un, qu'une seule boule d'énergie pure, incontrôlable, lancée à toute volée dans l'univers, prête à tout dévaster sans l'ombre d'un remords. Ils savent que cet instant de liberté sera bref alors ils en profitent. Tant qu'ils seront en orbite, rien ne pourra les arrêter. On peut tuer dans des moments comme ça, pour rien, parce que rien ne nous retient, parce que l'ivresse nous dédouane de tout ce qui est humain.

Le manège ralentit. Déjà, c'est fini. Gabriel se lève comme il avait quitté le banc de la gare quelques jours auparavant, les mains aussi poisseuses.

– Cinq balles, cinq ballons, un lot gagnant !

La crosse de la carabine est fraîche et douce comme la peau de Jeanne d'Arc. C'est facile, il suffit de ne penser à rien. Les cinq petits ballons multicolores agités par le souffle d'un ventilateur éclatent un à un. Charger, viser, tirer... Charger, viser, tirer... Ça n'a pas duré plus de trois minutes.

– Bravo ! Monsieur est une fine gâchette !

La foraine ressemble à une poupée de porcelaine mal restaurée, maquillage craquelé, perruque blonde aux racines noires, lèvres tartinées d'un rouge épais déteignant sur deux rangées de fausses dents, yeux vitrifiés pour en avoir trop vu, pareils à ceux du monstrueux panda en peluche qu'elle pose sur le comptoir.

– Votre lot !

Gabriel a un mouvement de recul devant cette chose noire et blanche qui lui tend les bras en souriant.

– Non, non merci, ce n'est pas la peine...

– Mais si ! Vous l'avez gagné, il faut le prendre !

– Non, je...

– Quand on gagne, on assume. Ça fera plaisir à vos enfants.

– Je n'en ai pas.

– Eh ben va falloir s'y mettre ! Prenez-le, je vous dis, de quoi j'aurais l'air ? Je ne suis pas une voleuse. Allez, pas de chichis !

– Bien... Merci, madame.

Ce n'est pas que c'est lourd, mais terriblement encombrant. On ne sait pas comment le prendre ce panda, par une oreille ? une patte ? ou à bras-le-corps ?... Les passants se retournent sur son passage, certains en souriant, d'autres en pouffant. La peluche n'en a cure, elle considère le monde et la faune qui l'habite d'un même œil écarquillé, affichant le même sourire béat qu'on lui mette ou non la tête en bas. C'est affublé de cette progéniture inopinée que Gabriel arrive devant le Faro. La grille est baissée mais on voit de la lumière à l'intérieur. Il frappe, plusieurs fois, le panda juché sur ses épaules. José apparaît enfin, la démarche mal assurée, le regard trouble.

– Ah, c'est vous… J'avais oublié, excusez-moi. Je vous ouvre.

La résille de métal se lève lentement dans un grincement de roulement à billes mal huilé. Elle stoppe à mi-hauteur, comme harassée par cet effort, ce qui oblige Gabriel à se plier en deux pour pénétrer. José semble en bout de course lui aussi.

– Ça ne va pas, José ?

– Pas trop. C'est quoi, ça ?

– Un panda. Je l'ai gagné au tir. J'ai pensé que ça ferait plaisir aux enfants.

– C'est gentil. Venez.

Sur la table, dans l'arrière-salle, la bouteille de porto et un verre vide. Gabriel dépose le panda hilare sur une chaise tandis que José se laisse tomber sur une autre, à côté. Malgré leur attitude opposée, béatitude pour l'un, accablement chez l'autre, on ne peut que constater un certain air de famille entre eux. Gabriel prend place à son tour. Il ne dit rien. Il attend que José finisse de s'effacer le visage en se frottant à deux mains les yeux et les joues hérissées de poils noirs.

– Voulez boire un coup ?… Merde, elle est vide… vais en chercher une autre…

Toutefois il ne bouge pas, comme soudé à sa

chaise elle-même soudée au sol. On n'entend plus que sa respiration, un souffle qui lui sort du nez pompé péniblement du fond de sa poitrine. À ses côtés, le panda, tel un joyeux convive, se tient prêt à dîner. Il ne lui manque que la serviette autour du cou et un couvert dans chaque patte. José et lui ont exactement la même taille.

– Marie ?

– Oui… C'est pas un kyste. Ils ne savent pas ce que c'est. Elle dormait, enfin… plutôt un coma… Si vous aviez vu son visage !… Tout jaune, le nez pincé, violet autour des yeux, plus de bouche, juste une fente avec un tuyau dedans… Et toutes ces machines autour qui font un bruit de télé mal réglée… Ils savent pas ce qu'elle a, ou bien ils veulent pas me le dire… Je ne l'ai pas reconnue, j'ai cru que je m'étais gouré de chambre…

Ses yeux coulent, son nez coule, il se noie de l'intérieur. Gabriel baisse la tête, suit du bout du doigt le contour d'une marguerite sur la toile cirée. Je t'aime, un peu, beaucoup…

– Vous n'avez pas mangé ?

– Non… Excusez-moi, je vous avais complètement oublié…

– Ce n'est pas grave. Mais vous devriez manger.

– Je n'ai pas faim.

– Je peux m'en occuper, je connais la maison. Laissez-moi faire.

– Si vous voulez… C'est gentil d'être venu. Je ne sais plus trop où j'en suis… Y a des bouteilles sous l'évier, on va boire un coup ensemble.

– Je vous apporte ça tout de suite.

Des pâtes, des tomates, du thon, des oignons, des olives… Gabriel a des gestes de chirurgien, nets, précis. C'est comme pour le tir à la carabine, il ne faut pas penser. Agir, juste agir. En un quart d'heure, il y a un gratin dans le four, des couverts sur la table et du vin dans les verres. José en a déjà vidé deux. D'un œil glauque, il fixe le panda.

– C'est quoi comme bête, un ours ?

– Un panda.

– Il est gros.

– Oui.

– Les enfants aiment tout ce qui est gros. Ça les rassure. Je n'ai pas eu le cœur d'aller les voir après l'hôpital. Je leur ai téléphoné. Je leur ai dit que tout allait bien, qu'on allait bientôt se retrouver tous les quatre…

– Vous avez eu raison.

– Ils ne m'ont pas cru. « Papa, t'as une drôle de voix… » On peut rien leur cacher aux mômes. Ils savent tout mieux que nous. Moi, quand j'étais gosse, je savais tout, le principal, quoi. Maintenant j'y comprends plus rien. Ça sert à quoi de grandir ? C'est con.

– Je vais chercher le gratin.

José ne mange pas, il bouffe, les coudes sur la table. La sauce tomate lui dégouline du coin des lèvres au menton, le long du cou. Un ogre. Puis il repousse son assiette vide en rotant et s'essuie d'un revers de manche.

– Putain que c'est bon ! T'es un vrai chef, Gabriel, je t'embauche, sans déconner, je t'embauche vu que Marie…

Ses deux mains s'abattent sur la table provoquant une sorte de secousse tellurique qui fait valdinguer la bouteille et les verres. Le panda lui tombe sur l'épaule. Il le prend dans ses bras, rejette la tête en arrière. On ne voit plus que sa glotte qui monte et descend comme un yo-yo.

– Bordel de Dieu !... *Pourquoi* !...

Ce sont ses poings fermés à présent qui martèlent la toile cirée. Le panda roule sur le sol. José s'effondre, le front sur la table, bras ballants, le dos secoué de spasmes. Gabriel redresse la bouteille, les verres.

– On avait tout pour être heureux, tout, *tout* !

– Je sais.

José relève le front, se mouche dans sa manche, le sourcil froncé, la bouche tordue par une mauvaise grimace.

– Qu'est-ce que tu sais, toi ?

– La douleur.

José ferme un œil pour mieux le scruter de l'autre. Il bave. Il est laid. Il a mal.

– T'es qui ?... Je m'en fous de ta douleur ! Pourquoi tu ne me dis pas qu'elle va s'en sortir ? Qu'on va redevenir heureux, comme avant ? Pourquoi tu me dis rien à me regarder avec tes yeux de chien ?

– Parce que je ne sais pas.

– Tu ne sais pas !!!...

José se lève, furieux, les yeux injectés de sang, renverse la table. Les veines de son cou palpitent, ses muscles se gonflent, la tête dans les épaules, les poings serrés, les jambes arquées. Gabriel n'a pas bougé de sa chaise.

– Tu sais rien ! Tu sais rien du tout ! Tu sais que faire la bouffe !… Casse-toi, fous le camp, toi et ton foutu ours ! Tirez-vous !!!… Je veux plus jamais vous revoir ici !… Jamais, jamais !…

Le trottoir luit, comme tendu d'une peau de phoque lustrée. La nuit, le ciel des villes est jaune, qu'il pleuve ou non. Gabriel ramasse le panda et le dépose sur le couvercle d'une poubelle, confiant, radieux, s'offrant bras ouverts à qui voudra l'adopter.

– Les chats ronronnent en mourant… Si, si, c'est vrai ! Quand j'ai dû faire piquer la mienne, elle ronronnait… Ah !… monsieur Gabriel, je peux vous parler un instant ?

– Bien sûr.

Madeleine salue une certaine Sonia et raccroche le téléphone. Elle porte un tee-shirt rose très échancré qui met sa poitrine en valeur, surtout quand elle se penche. La petite médaille gravée à son nom rebondit d'un sein sur l'autre.

– Vous pensez rester encore quelque temps ?

– Je ne sais pas… Oui, encore un peu.

– C'est que votre chambre est réservée du 4 au 7. Ça ne vous dérange pas d'en changer ?

– Non, pas du tout. Quel jour sommes-nous ?

– Le 4, justement.

– Ah ! Eh bien dans ce cas je vais préparer mes affaires.

– C'est gentil. Vous savez, toutes les chambres sont pratiquement identiques.

– Ça ne me pose aucun problème.

– Je vais vous donner la 22, c'est juste l'étage au-dessus.

– Très bien, je vais chercher mon sac.

– Ah… je voulais vous demander aussi… Qu'est-ce que vous faites aujourd'hui ?

– Je… rien de précis. Pourquoi ?

– Je ne travaille pas cet après midi… Je me disais que si… Enfin… On pourrait peut-être aller se pro-mener… Il ne pleut pas…

Elle devrait rougir plus souvent. Ça lui va bien.

– Vous me trouvez effrontée ?…

– Non, pas du tout. C'est une bonne idée. Entendu, avec plaisir.

– Je termine à midi.

– Parfait. À tout à l'heure.

C'est la première fois qu'il la voit en civil, c'est-à-dire en entier, debout, en pied, de l'autre côté du comptoir. Elle est grande, au moins aussi grande que lui, peut-être plus. C'est un peu intimidant et pour-tant c'est elle qui baisse les yeux en pétrissant son sac à main avec le charmant embarras d'une jeune fille surprise à sa sortie du bain.

– Eh bien… Allons-y ?

– Après vous.

Elle ouvre la porte comme on se jette à l'eau et se met à arpenter le trottoir de ses longues jambes, les pans de son imperméable flottant au vent, dans une sorte de charge aveugle. Elle parle du même élan qui la fait se mouvoir.

– Je connais un très bon restaurant vietnamien et un italien aussi si vous préférez. Il y a un musée du modèle réduit très intéressant et un cinéma mais je ne connais pas le programme. C'est une petite ville, il n'y a pas grand-chose à voir mais c'est très joli quand même, surtout sur les bords de…

– J'ai acheté du foie de veau.

– Pardon ? Elle s'est immobilisée, ses sourcils sombres arqués si haut qu'ils atteignent presque la racine des cheveux.

– Du foie de veau. Je peux vous faire la cuisine si vous voulez. J'ai tout ce qu'il faut. Mais peut-être n'aimez-vous pas le foie de veau ?

– Si… si, j'aime beaucoup le foie de veau, mais…

– Chez vous. Je pourrais faire la cuisine chez vous.

On la dirait parachutée dans un lieu inconnu, à la croisée de chemins dont aucun ne se distingue des autres. Puis elle éclate de rire.

– Ben vous, alors !… Pourquoi pas ? J'habite tout près.

Ils marchent côte à côte, à un rythme plus raisonnable. Elle ne dit plus rien mais sourit et lui jette parfois des regards curieux toujours suivis d'un hochement de tête incrédule.

– Vous savez, il m'arrive souvent de marcher au hasard dans des villes inconnues. J'aime bien ça. Mais c'est très reposant d'aller quelque part.

– C'est votre métier qui vous fait voyager ?

– C'est plutôt une fonction qu'un métier.

– Vous êtes fonctionnaire, quoi ?

– Si vous voulez.

– Et ça vous mène partout ?

– Partout.

– Nous y sommes. C'est ici, au troisième étage, la fenêtre avec les géraniums.

La cage d'escalier n'a rien de particulier. C'est celle d'un petit immeuble des années soixante, propre, avec, afin de différencier les portes peintes d'un même rouge sombre, un nom et un paillasson plus ou moins fantaisie. Celui de Madeleine Chotard – c'est ce qui est inscrit sur la plaquette de cuivre : M. Chotard – a la forme d'un chat enroulé sur lui-même.

On en découvre partout dans le F3 de Madeleine, déclinés sous les apparences les plus diverses, en pied de lampe, en tapisserie, en coussins, en statuettes de matières et de tailles variables, bois, bronze, porcelaine, dans toutes les attitudes, sautant, dormant, faisant le gros dos, s'étirant…

– La cuisine est à gauche, si vous voulez vous débarrasser.

Là encore, les félins sont omniprésents, salière, poivrière, pots… Gabriel dépose ses provisions sur le plan de travail à côté de la plaque chauffante, et va rejoindre Madeleine au salon. La pièce est petite mais très claire, très propre, pas un poil de chat.

– Installez-vous. Vous voulez boire quelque chose avant de vous mettre au travail ?

– Avec plaisir.

C'est sans doute le fait d'être chez elle qui la libère du maintien inhérent à sa fonction. C'est une fille bien dans son corps, probablement sportive, naturelle, ce qu'on appelle une belle plante. La bande de peau qu'on aperçoit entre le bas de son tee-shirt et la ceinture de sa jupe lorsqu'elle se penche pour tirer une bouteille d'un buffet ne présente aucun bourre-let, lisse et mate.

– Je n'ai pas grand-chose à vous offrir. Pour dire vrai, je ne bois pratiquement jamais d'apéritif, c'est juste pour les amis. Un Martini, ça vous dit ?

– Parfait !

Il y a comme un deuxième monde sous le verre fumé de la table basse, un monde parallèle, presque aquatique où le reflet des mains piochant dans la coupelle de cacahuètes se mêle aux ramages du tapis.

– Ça me fait drôle de vous voir ici.

– C'est pourtant vous, l'autre jour, qui m'avez proposé de vous faire la cuisine.

– C'était pour rire.

– J'ai pris ça au sérieux. Vous auriez préféré le restaurant ?

– Non !… C'est juste que ça m'étonne, c'est tout. D'habitude, on fait connaissance dans un endroit public, un café, une boîte…

– Un lieu commun. Mais pourquoi aviez-vous envie de faire ma connaissance ?

– Je ne sais pas. Peut-être parce que vous avez toujours l'air un peu triste, un peu comme quelqu'un qui s'ennuie.

– Vous devez pourtant en voir beaucoup à l'hôtel, des voyageurs de commerce, des gens seuls, de pas-sage…

– C'est la première fois ! N'allez pas croire que…

– Je ne crois rien, rassurez-vous. Ça me fait plai-sir d'être ici. Vous avez faim ?

– Un peu, oui.

– Alors, à moi de jouer.

– Vous voulez que je vous montre…

– Laissez, je saurai me débrouiller.

Il s'en doutait. Heureusement qu'il a pensé à tout. Une vraie cuisine de célibataire, de jeune femme seule. Un frigo à vous tirer les larmes : yaourts à 0 %, une demi-pomme enveloppée de film alimentaire, un reste de riz, un cœur de laitue transi au fond du bac à légumes, un pot de Nutella pour les soirs de spleen… C'est touchant.

Bientôt les pommes de terre nouvelles se trémoussent dans l'eau bouillante, les oignons grelots légèrement caramélisés au sucre rissolent dans la poêle où il va étendre les deux belles tranches de foie de veau de cent cinquante grammes chacune qu'il arrosera d'un filet de vinaigre balsamique et saupoudrera tout à la fin d'une pincée de persil frais haché menu. Le carrelage de céramique blanc des murs, peu habitué sans doute à ces fragrances, en rosit de plaisir. Le visage de Madeleine, la narine frémissante, apparaît dans l'encadrement de la porte.

– Mmm !… Ça sent bon !

– Installez-vous, j'apporte les assiettes dans une minute.

Le foie est cuit à point, les oignons fondent dans la bouche et les pommes de terre luisantes de beurre frais ont la douceur d'un matin de printemps.

– Ça fait une éternité que je n'avais pas mangé de foie de veau. Je ne pense jamais à en acheter. C'est délicieux… Et les petits oignons !…

Je t'invite à manger parce que j'éprouve de la sympathie pour toi. Je vais t'offrir des aliments, de la nourriture. Nous nous connaissons à peine et pourtant, à cinquante centimètres l'un de l'autre nous allons saliver, mâcher, déglutir ensemble de la viande, des légumes, du pain. Ton corps et mon corps vont partager la même volupté. Le même sang coulera dans nos veines. Ta langue sera ma langue, ton ventre mon ventre. C'est un rite ancien, universel, immuable.

– … et c'est pour ça qu'elle s'inquiétait.

– Qui ça ?

– Mais… ma grand-mère.

– Ah ! oui, excusez-moi.

– C'était juste un peu d'anémie, ça arrive souvent aux gamines trop vite poussées en graine. Je détestais ça !

– Quoi ?

– La viande hachée de cheval dans du bouillon, je viens de vous le dire… Vous ne m'écoutez pas ?

– Si, si, bien sûr, la viande hachée de cheval dans du bouillon. C'est vrai, ça n'a rien de bien tentant pour une petite fille.

– Je ne vous le fais pas dire. Mais elle croyait bien faire, c'était pour mon bien. Je l'aimais beaucoup… Je reprendrais bien un peu de vin… Merci, top, top !… Je crois que je suis un peu pompette…

– Elle est morte ?

– Oui, il y a cinq ans.

– Et votre chatte aussi ?

– Oui… Comment le savez-vous ?

48

– Vous en parliez ce matin au téléphone, j'ai entendu malgré moi.

– C'est vrai... L'année dernière. Elle s'appelait Mitsouko, c'est le nom de mon parfum. Elle a vécu quatorze ans.

– Vous ne l'avez pas remplacée ?

– Non. J'y pense parfois.

– Les soirs de Nutella ?

– Pourquoi les soirs de Nutella ?

– Pour rien, je disais ça comme ça.

– Un café ?

– Je veux bien.

L'appartement n'est déjà plus le même. L'odeur de cuisine a remplacé celle du rien du tout. Des objets ont bougé, des plis se sont formés sur les coussins du canapé. Il y a quelqu'un d'autre. Madeleine doit y penser en l'entendant marcher de l'autre côté de la cloison. Gabriel se dirige vers la fenêtre, soulève le voilage. C'est une petite rue, de celles dont on ne retient pas le nom, une rue qui ne fait que passer. Combien de fois Madeleine a-t-elle attendu, la chatte dans ses bras, le front sur la vitre, que quelque chose arrive, là, en bas ?... Et combien de fois a-t-elle laissé retomber le rideau sans avoir assisté à rien d'autre qu'à la lente floraison rouge opérette de son géranium ?

– Un sucre ?

– Pas de sucre, merci.

– Elle n'est pas très gaie cette rue, n'est-ce pas ?

– C'est une rue.

– Parfois j'ai l'impression que c'est une impasse. Mais le loyer n'est pas cher et puis c'est tranquille.

– J'ai habité une rue un peu comme celle-ci. Un jour, j'ai vu un Chinois tomber du sixième.

– Un Chinois ?… Mais c'est terrible !

– Sur le coup, je n'ai pas vu que c'était le Chinois du sixième, il est passé trop vite. Il faisait beau, la fenêtre était ouverte. J'ai plus senti que vu quelque chose, comme un gros oiseau ou une ombre. Ensuite j'ai entendu des cris. Je me suis penché. Un corps formait une sorte de croix gammée au milieu de la chaussée. Sur le trottoir d'en face il y avait un couple de personnes âgées. C'est la femme qui criait. Toutes les fenêtres se sont ouvertes en même temps. J'ai entendu : « C'est le Chinois du sixième ! »

– Qu'est-ce que vous avez fait ?

– J'ai fermé la fenêtre, je crois. Je ne le connaissais pas beaucoup. Nous nous croisions parfois dans l'escalier. Plus tard un voisin m'a confié qu'il était un peu dérangé, qu'il faisait partie d'une secte, je ne sais quoi…

– Ça a dû vous faire un drôle d'effet.

– On se sent toujours un peu voyeur, même si c'est malgré soi. Toute la journée j'ai eu l'impression d'avoir une poussière dans l'œil dont je n'arrivais pas à me débarrasser, une sorte d'image subliminale qui revenait sans cesse. C'était assez désagréable… Mais je ne sais pas pourquoi je vous raconte ça, c'est idiot.

Gabriel s'en veut d'avoir évoqué cette anecdote. À présent il semble pleuvoir des Chinois partout dans le salon. Madeleine fixe le fond de sa tasse, le dos voûté. Ses sourcils se rejoignent à la naissance du nez froncé de deux rides parallèles. Osera-t-elle encore ouvrir sa fenêtre ? Laissera-t-elle crever son géranium de soif ? Et si, comme il la suppose sportive, elle pratiquait le parachutisme ?… Quelle bourde !

– Vous faites du sport, Madeleine ?

– Oui, je fais de la natation. Je vais à la piscine trois ou quatre fois par semaine. J'adore nager. Et vous ?

– À l'occasion. J'aime me baigner dans les lacs, c'est calme, lisse.

– Moi j'aime tout, les lacs, les rivières, la mer. Depuis toute petite, j'aime l'eau. Je n'ai jamais eu peur. Pour dire vrai, je m'y sens plus dans mon élément que sur terre. J'ai fait de la plongée, il y a deux ans, en Guadeloupe, c'était extraordinaire ! Vous connaissez la Guadeloupe ?

– Non, malheureusement.

– Un vrai paradis ! Vous voulez voir des photos ?

– Certainement !

C'est dans un petit album imitation cuir étiqueté « Vacances 2002 » que résident les rêves limpides de Madeleine. Elle vient s'asseoir à côté de Gabriel et ouvre sur ses genoux l'équivalent d'une bible. Sable blanc, cocotiers, rouleaux d'écume, émeute florale, ciel d'un bleu aveuglant sur fond de mer turquoise sertissent sur chaque photo le corps parfait de Madeleine, assise, couchée, debout, immergée, batifolant au milieu des poissons clowns. Un festival de Madeleine telle que Dieu l'a faite.

– Si vous saviez comme c'est beau là-bas !… Tout sent bon le propre, tout ce qu'on touche est doux, tout ce qu'on goûte est sucré…

– Même la mer ?

– Même la mer. Tenez, il me suffit de fermer les yeux pour y être… Fermez les yeux, vous aussi, vous entendez les vagues ?…

L'album glisse sur le tapis, Madeleine sur Gabriel et Gabriel sur le canapé.

– Je ne crois pas que ce soit une bonne idée, Madeleine.

– Je ne vous plais pas ?

– Si ! Vous êtes très belle.

– Vous pensez que je suis nymphomane ?

– Pas du tout. D'ailleurs je ne vois pas de mal à ça.

– Vous préférez les hommes ?

– Ce n'est pas ça.

– Une maladie ?

– Non plus.

– Alors, pourquoi ?

– Je ne saurais pas vous répondre. Mais quelle importance ? Je vous ai fait à manger…

– Et alors ?

– Alors, rien. C'est comme ça, il n'y a rien à comprendre. Ne soyez pas contrariée, je vous aime bien.

Doucement il se dégage et se lève, remet un peu d'ordre dans ses cheveux. Il a la pâleur d'un saint de plâtre, les traits tirés, fatigué d'une vie qui lui tombe des bras.

– Je suis désolé, j'aurais aimé vous faire plaisir. Il ne faut pas m'en vouloir, vous n'avez rien à vous reprocher.

Madeleine le regarde du fond du canapé, pareille

à une grande poupée de chiffon abandonnée, bras et jambes épars.

– Vous êtes un drôle de type… Oui, un drôle de type…

– À demain, Madeleine.

L'armoire occupe presque toute la vitrine. C'est une belle pièce dont le propriétaire du magasin d'antiquités Obsolète doit être fier pour l'avoir fait trôner en devanture au risque d'occulter tous les autres objets qui l'entourent. Un bois blond, patiné, satiné, des proportions idéales, sobre, dépourvue de toute sculpture rococo qui pourrait l'alourdir. Le reflet de Gabriel dans la vitre s'y encadre parfaitement. On la dirait faite pour lui. Sa porte entrebâillée invite à s'y enfermer. Nul sarcophage ne serait plus confortable. La traversée de l'éternité deviendrait une croisière.

– Huit cents euros, vous dites ?

– C'est du merisier massif. Entièrement mortaisée et chevillée, pas un clou, pas une vis !

– Consommable, quoi ?

– Pardon ?

– On peut la manger, il n'y a pas de fer dedans ?

– Je ne comprends pas…

– Ça ne fait rien. Elle est vraiment très belle. Merci.

Dommage que Mathieu soit mort. Il la lui aurait

bien offerte. Mathieu en avait mangé une, celle dans laquelle sa femme était morte, étouffée au milieu de ses fourrures, la porte s'étant refermée sur elle par mégarde. Fou de douleur, car il était éperdument amoureux de son épouse, il avait tenu le meuble pour responsable et avait juré de le bouffer jusqu'à son dernier pied. Ça lui avait pris des années. Mais, copeau après copeau, d'écharde en écharde, il l'avait entièrement dévoré. Chaque matin, à l'aide d'un canif, il en découpait un morceau qu'il mâchait avec la pugnacité que seule la douleur d'un amour contrarié peut entretenir. C'était une armoire Louis-Philippe, en acajou. Au bout de deux ans à peine, il avait déjà dévoré une porte.

— Tu vois, Gabriel, le problème c'est les ferrures. L'acajou, ça passe tout seul, mais les ferrures, non. C'est ça qui est chiant avec le Louis-Philippe.

Mais le désir de vengeance n'a qu'un temps et bien qu'il ne voulût jamais l'admettre, la haine qu'il portait à cette armoire s'était muée en ce même amour dévorant qu'il vouait à sa tendre épouse. C'est en gourmet qu'il dégustait l'objet de son ressentiment.

— Hier, j'ai fait bouillir un morceau de cornière. Eh bien je vais te dire, on dirait du veau !

Un soir il lui avait téléphoné, en larmes.

— Gabriel, j'ai fini. Viens.

Il était allongé sur son lit, maigre, car il ne se nourrissait plus depuis bien longtemps que de cette promesse fatale et, quoi qu'on en pense, l'acajou ne fait pas grossir. De l'armoire il ne restait plus que la trace des pieds sur le parquet poussiéreux et sa silhouette massive comme imprimée sur le papier peint décoloré.

– Elle était bonne, tu sais…

Ce furent ses derniers mots. Sa main jusqu'alors crispée sur sa poitrine s'ouvrit comme une fleur et du creux de sa paume décharnée tomba une clé.

C'est à peu près tout ce que Gabriel a conservé de ses vies antérieures, cette clé dont le seul intérêt est de n'ouvrir et de ne fermer aucune porte. Il la garde toujours sur lui, au fond de sa poche. Le métal est à sa température, tantôt brûlant, tantôt glacé. Il se dit qu'un jour il la remettra à quelqu'un ou bien il la perdra et un autre la trouvera car c'est le devenir des choses de passer de main en main.

De chez l'antiquaire au Faro, il n'y a qu'un pas comme il n'y en avait qu'un de chez Madeleine à l'antiquaire. Cette ville est si petite… Le café est ouvert. José lit le journal. Derrière lui, calé dans un angle au milieu des bouteilles, le panda tend les bras. Un couple est assis à une table. José lève les yeux. À cause du mégot coincé entre ses lèvres, on ne sait pas s'il sourit ou s'il grimace. Peut-être les deux. Soupir. Battement de cils. Il écrase son mégot, soulève son poids de vie, traîne les pieds derrière le comptoir, hésite, prend la main tendue de Gabriel et la garde un moment serrée au-dessus du zinc.

– Comme d'habitude ?

– Un demi, oui.

Sa barbe a poussé. Excepté l'expression résolument joviale du panda, c'est fou ce qu'il lui ressemble.

– Ben oui, je ne pouvais pas laisser les éboueurs l'emporter. Il fait pas mal là où je l'ai mis, non ?

– C'est accueillant.

– Ouais, ça fait gai pour la clientèle. Sauf que ceux-là, ils ont rien vu.

De son menton bleu de paille de fer il désigne le couple.

– On dirait des noyés. Il pleut même pas.

L'homme et la femme se font face, les bras croisés sur la table, presque front contre front, penchés au-dessus de deux tasses de café vides. On pourrait croire aux deux éléments d'un serre-livres sans livres. Lui doit avoir la quarantaine bien sonnée, la face osseuse, martelée de creux, les joues, les yeux, les trous de nez. Ses cheveux gras rejetés en arrière rebiquent sur le col de son pardessus. Elle est de dos, mais on voit un quartier de son visage dans le miroir, un quartier mal famé, fariné de poudre blanche supposée masquer la couperose, les boutons, les rides. Un gâteau laissé trop longtemps en vitrine. On peut lui donner le même âge incertain que son compagnon. Tous deux ont la même bouche, aux lèvres charnues, sensuelles, rouge sang, presque tuméfiées. Ils ont dû beaucoup s'embrasser. Ils ne parlent pas, ils se regardent, se lisent l'un l'autre, indifférents à tout ce qui les entoure. Aux pieds de l'homme, l'étui écorné d'un instrument de musique, un saxophone peut-être ?

José passe un coup de chiffon sur le zinc et le fait claquer d'un coup sec.

– Ça fait une heure qu'ils sont là. Ils ne parlent pas… Tu sais, faut m'excuser pour hier soir, j'étais bourré.

– On a le droit. Marie ?

– Toujours pareil… Une ligne verte qui ondule sur un écran. Dis donc ?

– Oui ?

– Je vais voir les gosses demain, tu voudrais pas m'accompagner ? Je ne me sens pas d'y aller seul.

– Bien sûr, c'est d'accord.

– Merci. Je ne sais pas quoi leur dire, ils sont petits… Faudrait que je leur achète un cadeau aussi… Excuse-moi. Oui, vous désirez ?

L'homme s'est redressé, le bras tendu comme à l'école.

– Vous avez des cacahuètes ?

– Non, j'en ai pas.

– Ah !… dommage.

Gabriel en sort un sachet de sa poche. Il en a acheté deux dans une petite épicerie en sortant de chez Madeleine. Celles qu'il avait grignotées chez elle lui avaient fait envie. On devrait toujours avoir des cacahuètes sur soi.

– Moi j'en ai, tenez.

– C'est très gentil, merci. Combien je vous dois ?

– Rien.

– Mais si, j'insiste !

– J'en ai d'autres. C'est quoi votre instrument ?

– Un saxophone.

– Vous en jouez ?

– Non, c'est pour vendre.

– Je peux le voir ?

– Bien sûr.

L'homme a des mains très longues, très maigres, deux grandes araignées blanches aux ongles sales qui s'énervent sur le fermoir de l'étui. À l'intérieur, un saxophone doré, gravé, apparaît, pareil à un serpent lové sur lui-même, accaparant toutes les lumières du café dans son écrin de velours grenat.

– C'est un Selmer, un vrai !

– Vous en voulez combien ?

– 500… 450… 400.

– 500. Je vous le prends.

L'homme et la femme le regardent bouche bée sortir les billets de son portefeuille et les étaler sur la table.

– Voilà, 500. Bonne soirée.

La pomme d'Adam de l'homme fait le va-et-vient tout au long de son cou. Sa bouche s'arrondit comme celle d'un poisson hors de l'eau.

– C'était à mon père. Vous faites une bonne affaire.

– Je ne sais pas. Je n'y connais rien.

Gabriel retourne au bar et y dépose le petit sarcophage. Il ne voit pas dans son dos l'homme et la femme, tout auréolés de cette bonne fortune, se prendre les mains. José se frotte la joue, un coude sur le comptoir, le torchon sur l'épaule.

– Tu joues du saxophone ?

– Non. Tu crois que ça fera plaisir aux enfants ?

José ne répond pas. Il allume une cigarette et tire dessus à petits coups en plissant les yeux à cause de la fumée.

– Peut-être que tu es juste fou ?

Il a beau insister, sa clé n'entre pas dans la serrure. Des pas précipités se font entendre de l'autre côté de la porte.

– Qu'est-ce que c'est ?

Gabriel prend un pas de recul. Chambre 12.

– Excusez-moi, je me…

La porte en s'ouvrant fait apparaître le visage de l'homme du café sur fond de lumière jaune.

– C'est vous !… Vous avez changé d'avis pour le sax ?…

– Non ! Non… c'est que jusqu'à hier j'occupais cette chambre… L'habitude… Je me suis trompé, excusez-moi…

L'homme est en caleçon, une cigarette aux lèvres, ébouriffé. Il ne semble pas certain de voir ce qu'il voit. La minuterie du couloir s'éteint.

– Vous êtes où ?

– Au 22, c'est l'étage au-dessus. Désolé…

– Vous voulez boire un verre ?

– Non, je ne voudrais pas…

– Allez, entrez. On vous doit bien ça. Rita ?… C'est le monsieur du café, celui qui nous a acheté le

60

sax. Elle est pas bonne, celle-là ?... Il est à l'hôtel, comme nous.

La chambre, « sa » chambre, sent la fumée, l'alcool et la pharmacie. La fenêtre n'est pas ouverte, le radiateur se donne à fond. La femme, en très petite tenue, est vautrée sur le lit, jambes écartées, les bras sous la tête, offrant en toute impudeur la vision de ses aisselles velues. Un tas de viande prêt à la découpe sur un torchon, c'est l'image qui s'impose aussitôt à Gabriel. De sous ses lourdes paupières filtre un regard aussi trouble que celui de son compagnon.

– Ben merde alors, c'est tout petit le grand monde. Ne restez pas debout, on n'est pas des fervents de la verticale.

Gabriel s'assied sur l'unique chaise au pied du lit tandis que l'homme lui verse une rasade de gin dans un verre à dents.

– Paraît que quand on boit dans le verre d'un autre, on voit ses pensées. Tant pis pour vous !

– Merci.

L'homme retourne s'allonger à côté de sa compagne, le dos appuyé au mur. Il a dû apprendre à sourire chez le dentiste, ça ne lui vient pas spontanément.

– Ce n'est pas banal... pas banal... Vous savez que vous nous avez enlevé une sacrée épine du pied ?

– Non, je ne sais pas. Si j'ai pu vous rendre service, j'en suis content.

– On n'avait plus un rond.

– Ça arrive.

– Plus souvent qu'on ne le voudrait ! Vous êtes de passage ici ?

– C'est ça.

– Tant mieux pour vous. Moi, j'y ai passé toute mon enfance. Le seul intérêt de cette putain de ville c'est qu'elle vous donne envie d'en foutre le camp le plus tôt possible.

– Pourtant, vous y revenez.

– Bien obligé. Mon père. Histoires de famille. De fric, quoi.

L'homme vide son gobelet d'un trait et le tend à Rita qui, au prix d'un effort qui semble lui coûter beaucoup, s'extrait en soupirant des méandres du drap pour aller le remplir à nouveau. En passant, sa hanche frôle l'épaule de Gabriel. C'est elle qui dégage cette odeur de pharmacie, de sueur, de malade. Elle boit la moitié du gobelet et retourne s'affaler à côté de l'homme. Elle n'arrête pas de se gratter, le nez, les bras. Ses ongles laissent de grandes traînées rouges sur sa peau blême. Gabriel se sent comme en visite à l'hôpital. Par politesse, il trempe ses lèvres dans son verre. Le gin tiède a un goût de médicament. Il le repose sur la table en cherchant la formule adéquate qui lui permettra de prendre congé au plus vite. Mais l'homme reprend, plus pour lui-même que pour son visiteur.

– Un saxo à la con, c'est tout ce que j'ai pu lui tirer à ce vieux connard. Cette fois-ci je croyais que c'était la bonne, mais je t'en fous ! Il s'accroche comme une tique à sa vie de merde ! Un sac d'organes pourris, voilà ce qu'il est. Mais avec un cœur de montre suisse, increvable ! Tic-tac, tic-tac... Vieux salaud... Il sait bien que je suis dans la mouise jusqu'au cou, qu'il lui suffirait de me signer un malheureux bout de papier pour me tirer de là... Mais non ! Ça le fait jouir de me tenir en laisse, y a plus que ça qui le fait bander... Vous avez de la famille, vous ?

– Non.

– Ben vous connaissez pas votre bonheur ! Toute ma vie il m'aura fait chier... Vous avez senti comme elle pue, cette ville ? Je vais vous dire, c'est pas le lisier, c'est lui ! Ouais, c'est lui !... Bordel de Dieu, je vais pas me contenter du sax, sûrement pas !... Je sais pas ce qu'il foutait là cet instrument, je l'avais jamais vu... Il était devant la porte, à côté du porte-parapluies... Je l'ai pris... Parfois on fait des choses sans savoir pourquoi... Pour pas partir sans rien...

Quelque part, très loin, une cloche sonne onze coups, feutrés par l'épaisseur de la nuit. Gabriel se lève.

– Bien, il est tard, je vais vous laisser. Merci pour le verre.

– Je vous raccompagne.

Avant d'ouvrir la porte, l'homme glisse à l'oreille de Gabriel :

– Comment vous la trouvez, Rita ?

– C'est-à-dire que... je la connais très peu...

– Physiquement ?

– Mais... copieuse.

– Copieuse ?...

– Charmante, si vous préférez.

– Parce que, si vous voulez... Enfin, je peux aller faire un tour... Vous voyez ce que je veux dire ?

– C'est gentil, mais non. Je me lève tôt demain matin.

– Ah… alors une autre fois, peut-être ?

– Peut-être. Bonne nuit.

La voiture de José sent la couverture mouillée, le cambouis et le cendrier froid. Avant de monter, il a demandé à Gabriel de ne pas faire attention au désordre, c'est-à-dire aux Kleenex usagés, aux papiers de bonbons froissés, aux chiffons maculés d'huile de vidange, aux vieux stylos mâchouillés, aux vis, boulons, ressorts, à la dépouille de lapin en peluche grisâtre, aux cartes routières en lambeaux...

– J'ai pas eu le temps.

Sur la banquette arrière, le saxo rebondit à chaque chaos contre une grosse boîte enveloppée d'un papier cadeau. De chaque côté de la route, des champs de boue s'étendent aux confins d'un horizon approximatif. C'est un paysage supposé. On n'est pas obligé d'y croire. Même la présence d'une poignée de corbeaux n'est pas irréfutable. Il en est ainsi pour tout depuis ce matin. On joue la partition par cœur, sans fausses notes mais sans passion. Madeleine était bien à sa place à la réception, parfaitement moulée dans un ensemble gris qui lui faisait comme une armure souple. Elle lui a dit bonjour, lui

65

a demandé s'il avait bien dormi, si sa nouvelle chambre lui convenait, avec amabilité, sans faire un instant allusion à l'après-midi d'hier. Ils se sont souhaité une bonne journée. Le trottoir sous ses pieds l'a conduit avec des ondulations de tapis roulant de l'hôtel au Faro. José s'était rasé, coiffé et portait une chemise propre.

– Qu'est-ce qu'il y a dans la boîte ?

– Une petite cuisine à roulettes, pour Maria. Où est-ce que tu as mangé hier soir ?

– Nulle part. J'ai marché en grignotant des cacahuètes et puis je suis rentré à l'hôtel. Et toi ?

– J'avais pas faim. J'ai regardé la télé.

– C'était bien ?

– Je sais pas. Je ne m'en souviens plus. J'ai regardé la télé. Après j'ai été me coucher dans la chambre des enfants. Je peux plus dormir là-haut.

– Tu as des nouvelles ?

– Non. Je téléphonerai à l'hôpital tout à l'heure. C'est bien que tu sois là. Faut que je parle avec Françoise. Françoise c'est la mère de Marie. Tu pourras t'occuper des enfants pendant ce temps-là ?

– Bien sûr.

– C'est une femme bien, Françoise, courageuse. Elle a perdu son mari juste avant la naissance de Marie. Elle s'est toujours débrouillée toute seule.

Si l'on remplaçait les deux enfants qui l'encadrent par des obus, Françoise, dressée sur le seuil de sa maison, ferait un magnifique monument aux morts, une grand-mère courage drapée dans un châle anthracite, le menton haut, les cheveux d'écume domptés en un chignon serré, défiant de ses yeux de verre la vanité de la condition humaine. Depuis combien de temps sont-ils là, plantés devant la porte ? Timidement les petits répondent au signe de la main que José leur adresse en se garant devant la grille.

On semble vouer ici un culte à la symétrie. De part et d'autre de l'allée centrale semée de gravillons, le même carré de pelouse, le même arbre fruitier, le même massif d'hortensias contre le même muret de pierres gris vert. En pliant le décor verticalement à l'aplomb de la pointe du toit, chaque élément de la partie gauche coïnciderait parfaitement avec celui de la partie droite, carré de pelouse sur carré de pelouse, arbre sur arbre, massif d'hortensias sur massif d'hortensias, frère sur sœur, moitié de grand-mère sur moitié de grand-mère. Celle-ci, en ouvrant les mains, libère les deux enfants qui viennent se jeter dans les jambes de leur père. Gabriel suit en souriant à cette scène animalière : ours jouant avec ses oursons.

– Doucement les enfants, doucement !

– Papa ! Papa !… Des cadeaux !

Autant Gaël ressemble à son père, petit caniche râblé bouclé noir, autant Maria tient du côté maternel, les cheveux blonds, la peau blême, les yeux pervenche de sa grand-mère. Ce sont de beaux enfants, plein de vie, comme bourrés de menthe fraîche.

– Les cadeaux, les cadeaux !…

– D'abord il faut dire bonjour à mon copain Gabriel.

Tous deux viennent coller leur bouche sucrée sur

les joues de Gabriel puis se précipitent sur les cadeaux. José fait les présentations.

– Françoise, Gabriel, un ami.

Poignée de main virile mais chaude. En un clin d'œil elle a scanné le compagnon de son gendre. Elle semble satisfaite.

– C'est un joli jardin que vous avez là.

– En cette saison il n'est pas très bien mis en valeur. C'est du travail, c'est tout, du travail. Ça pousse tout le temps, surtout les mauvaises herbes. Entrez.

Sous ses abords revêches, Françoise n'est pas une mauvaise femme. L'ordre et la discipline lui servent de déambulateur. C'est tout ce qu'elle a trouvé pour corseter une vie ponctuée de peines et de souffrances. Elle porte sa résignation en sautoir comme un vieux soldat ses médailles. Une petite femme courageuse, bien méritante et qui ne demande rien à personne.

Poulet rôti, purée maison et tarte aux pommes, menu simple et efficace. Tout au long du repas, José a fait ce qu'il a pu pour se montrer enjoué devant les enfants mais à chaque fois que l'un d'eux évoquait sa maman, sa fourchette tremblait dans sa main et ses yeux rougis par l'insomnie cherchaient désespérément une issue dans ceux de Françoise ou de Gabriel.

– Bon, les enfants, faut que je parle avec votre grand-mère. Gabriel, tu veux bien…

Cela fait si longtemps qu'il n'a pas côtoyé d'enfants… Il se sent gauche, maladroit, encombré

68

de son grand corps. Il ne sait plus leurs mots. Pauvre Gulliver…

– Tu nous montres comment on joue du saxophone ?

– Je crois qu'il faut souffler dedans et appuyer sur les touches…

Gabriel gonfle ses joues, mais ne parvient à émettre qu'une flatulence foireuse qui fait éclater de rire les enfants.

– T'as pété ! T'as pété !

L'instrument passe de bouche en bouche. Gaël a beau souffler jusqu'à en devenir rouge pivoine, il n'obtient pas de meilleur résultat. En revanche, Maria en tire trois notes claires au premier essai ce qui laisse Gabriel et Gaël dubitatifs et un peu vexés.

– Je savais pas que je savais en jouer… C'est facile !

Elle recommence, une fois, deux fois, trois fois. Ça marche. Son frère s'assombrit.

– Bon, t'arrêtes ! Tu joues toujours la même chose. On fait la cuisine ?

Contrairement à ceux des adultes, les conflits d'enfants ne sont que feu de paille. À présent, on s'affaire devant la dînette. Gaël semble s'y intéresser particulièrement, fait l'inventaire des accessoires, les range bien comme il faut.

– Bon, alors, qu'est-ce qu'on va faire à manger ?

– Des escargots tout chauds !

– D'accord. Gabriel, tu t'assois là, t'es le client. Tu veux manger quoi ?

– Des escargots. Et puis un bifteck avec des frites !

– On n'en a plus. Mais y a du gigot de poule avec des nouilles au gruyère.

– Très bien, ça ira.

Juliette avait à peu près le même âge. Gabriel avait acheté un homard vivant et s'apprêtait à le faire griller au barbecue. Le menton de sa fille atteignait à peine le bord de la table sur laquelle le crustacé gigotait des pinces en fouettant l'air enfumé de sa queue. Juliette avait un visage d'elfe, un petit nez retroussé, une bouche cerise, et deux yeux verts en amande qu'une mèche de cheveux blanchie de sel et de soleil balayait. Tous deux étaient en maillot de bain. Il faisait chaud, très chaud, l'air tremblait sur la terrasse.

– On va le manger ?

– Oui, c'est très bon.

– Il bouge.

– Quand il sera cuit il ne bougera plus. Écarte-toi, il faut que je le coupe en deux.

– Ça va lui faire mal ?

– Non. Ce sera si rapide qu'il ne sentira rien.

– Comment tu le sais ?

– Je le sais. Écarte-toi.

Le tranchoir avait fendu le homard en long dans un craquement net et sans appel. De la chair blanche s'écoulait un liquide épais qui dégoulinait sur la planche. Les pinces s'étaient ouvertes comme pour saisir l'instant. Juliette n'avait rien perdu de la scène. Elle n'avait pas sourcillé, accrochée des deux mains au bord de la table.

– Bien fait !

Puis elle s'était mise à danser sur la terrasse chauffée à blanc en chantant à tue-tête : « Bien fait ! Bien fait !... »
C'est elle qui avait mangé la plus grosse part.

— Voilà vos escargots, monsieur, ils sont tout chauds.

Gabriel fait mine de déguster les boulettes de pâte à modeler dans la minuscule assiette de plastique jaune que lui a tendue Gaël.

— Mmm !... ils sont délicieux ! Mes compliments à la cuisinière !

— C'est pas elle, c'est moi.

— Félicitations quand même.

Gaël se dandine d'un pied sur l'autre comme son père derrière le bar, un torchon sur l'épaule. Puis il s'assied en tailleur devant Gabriel et le regarde droit dans les yeux.

— Pourquoi on mange que des choses mortes ?

— Parce que... c'est meilleur cuit.

— Et quand ma mère sera morte, on la fera cuire ?

Maria a repris le saxophone. Une quatrième note sort sous ses doigts. Elle la regarde s'envoler, tout étonnée.

— Qu'est-ce que tu racontes, Gaël ?

— Rien. C'est pour savoir. Je vous sers votre gigot de poule ?

— Le docteur m'a dit qu'il allait essayer un truc. Je n'ai pas bien compris. Parfois, ça marche.

D'un geste machinal, José effleure le chromo de la vierge collé sur le tableau de bord comme d'autres touchent du bois. Les essuie-glaces font leur boulot, sans conviction. Ici, c'est toujours la pluie qui gagne.

– Ils sont gentils tes gosses.

– Oui, ils sont gentils... Et Françoise aussi est gentille et toi aussi et Marie aussi !... Alors pourquoi, merde ?...

Son poing, en s'abattant sur le volant, fait zigzaguer la voiture. Un camion rouge venant en sens inverse l'évite de justesse dans un mugissement de klaxon. José se gare sur le bas-côté, s'effondre sur le volant, le dos secoué de sanglots. Vingt mille lieues sous les larmes. Avec quoi éponge-t-on toute cette peine ? Gabriel pose sa main sur l'épaule de José. C'est tout ce qu'il peut faire. Il revoit le camion rouge foncer vers eux. Il n'a pas eu peur. Il était prêt. Depuis longtemps il est prêt.

– Excuse-moi, Gabriel. J'ai failli nous envoyer dans le décor...

– Ça va, ça va.

On y est dans le décor, on s'y solubilise, voués à la mémoire de l'eau. Écoper, écoper...

– Tu veux que je prenne le volant ?

– Je veux bien. Je suis vidé.

À l'instar de ces fleurs en papier japonais, la ville s'épanouit dans l'élément aqueux. Elle brille, développe des contours improbables, se diffuse comme une tache d'encre sur un buvard.

Pour le panda, tout va pour le mieux dans le meilleur des mondes. Il est aussi heureux de voir les deux hommes rentrer qu'il l'était en les voyant partir. Son truc c'est de garder les bras ouverts. Il ne tient ni ne retient. Il est à prendre ou à laisser, c'est égal.

– Je ne crois pas que je vais ouvrir.

– Ce serait plus sage. De toute façon, il est déjà tard. Tu veux que je te prépare quelque chose à manger ?

– Non…

– Juste une petite soupe, ça se mange sans faim… Devant la télé, d'accord ?

– Si tu veux.

Le poireau-pomme de terre est le meilleur ami de l'homme qui s'est penché trop près du bord.

– T'auras plus qu'à faire réchauffer. J'ai mis du beurre dedans.

– Merci.

Sur l'écran, deux équipes de foot s'affrontent, des bleus et des rouges. On pourrait s'asseoir sur José sans s'en apercevoir tant il fait corps avec son fauteuil.

– T'es pour qui ?

– M'en fous… Pour celui qui gagne.

– Tu veux que je reste ?

– Non, je préfère rester seul. Faut pas m'en vouloir…

– Mais non, je comprends. À demain.

– C'est ça, à demain.

Sa main dans celle de Gabriel pèse un bifteck de trois cents grammes.

– J'avais peur que vous soyez partie.

– J'allais le faire.

Madeleine n'a pas changé depuis ce matin, comme si elle avait passé sa journée sous cloche en attendant le soir.

– Si vous êtes libre, je vous invite à dîner.

– Où ça, chez moi ?

– Non, je n'ai pas eu le temps de... Le chinois, ou l'italien ?

– Va pour le chinois.

Sans le faire exprès ils marchent au pas, gauche, droite, gauche, droite, bras dessus bras dessous. On pourrait les prendre pour un vieux couple. La pluie pianote une petite mélodie sur le parapluie de Madeleine.

– Vous avez passé une bonne journée ?

– J'ai passé une journée. Madeleine, aimez-vous les enfants ?

– Mais oui... enfin, comme tout le monde. Pourquoi me demandez-vous ça ?

– J'ai joué avec des enfants aujourd'hui, un petit garçon et une petite fille. Ils m'ont fait l'effet de passagers clandestins. Ils se servent de leur petite taille pour passer inaperçus mais je crois qu'ils veulent nous occuper. Ils sont malins, très malins ! En jouant avec eux on collabore sans le savoir à notre propre perte. Ils veulent notre place. Je les ai vus faire l'autre jour à la fête foraine, ils ont des éléphants, ils sont prêts à tout massacrer.

– Gabriel, il ne faut pas dire des choses pareilles ! Vous aussi vous avez été un enfant...

– Non, pas comme ceux-là. Je n'ai jamais joué spontanément du saxophone à cinq ans.

– Je ne vous suis pas très bien...

– Ça ne fait rien. Excusez-moi, Madeleine. Ah, c'est ici ?

Dans les villes de province, les restaurants chinois sont toujours déserts. Le Lotus d'or ne fait pas exception. Il se dit de drôles de choses à propos de ce qu'on y mijote en cuisine. Les plats sur le menu sont si mal orthographiés qu'on y adjoint des numéros pour les identifier. Gabriel mise sur le 4, le 22 et le 16. Madeleine sur le 5, le 27 et le 12. Le Chinois est joueur de nature et souriant par vocation.

– Thé ou rosé ?

– Les deux.

Derrière Madeleine une cascade lumineuse se déverse, incontinente, entre deux pagodes fluorescentes du plus bel effet. Les accents aigres-doux d'une voix équivoque donnent une furieuse envie d'agiter un chasse-mouches. On pense à la fameuse réplique des films d'aventures exotiques : « La jungle est trop calme, c'est louche... » Madeleine se penche au-dessus de la table, le menton dans le creux de la main.

– C'est gentil de m'inviter.

– Ça me fait plaisir de vous faire plaisir. Et vous, votre journée ?

– Une de plus, ou une de moins, c'est selon.

– Hier, après vous avoir quittée, je me suis demandé pourquoi vous ne cherchiez pas un travail à la Guadeloupe, ce ne sont pas les hôtels qui doivent manquer. Avec vos compétences…

– J'y ai pensé. Bien sûr que je pourrais trouver, seulement… c'était les vacances. C'est en vacances que je voudrais vivre.

– Vous finiriez par vous ennuyer.

– Je ne crois pas. Il y a des gens qui ont besoin de faire, moi, j'ai juste besoin d'être.

– Comme les pandas.

– Pardon ?

– Je dis les pandas mais j'aurais pu dire comme les lézards.

– Exactement. Je sais que je ne suis pas très intelligente. Vous avez vu, chez moi, il n'y a pas de livres ou s'il y en a c'est juste pour meubler. Ça m'est égal. Je peux passer des journées entières allongée sur une plage au soleil sans penser à rien, sans même rêver, sans faire l'effort de vivre. Je suis une grosse, grosse paresseuse !

Quand elle rit, on voudrait entrer tout entier dans sa bouche et ne plus jamais en sortir.

– Il est bon votre canard laqué ?

– Un peu sec, mais ça va.

L'incontournable tasse d'alcool de riz – cadeau de

la maison – au fond de laquelle on distingue une paire de fesses molles, clôture le dîner. Aucun autre client ne s'est présenté. On se sent chez soi dans cette maison mi-close. On pourrait se jeter l'un sur l'autre, là, sur la nappe tachée de quelques gouttes de soja et de sauce piquante et pratiquer un coït torride que ça ne gênerait pas le moins du monde le personnel. Madeleine en a sans doute envie. Là, sur la table, sans penser à rien, sans même rêver, sans faire l'effort de vivre…

– Je vous raccompagne ?

La pluie s'est lassée d'elle-même. Le ciel est complètement essoré. Çà et là quelques réverbères dorment debout, sentinelles aveugles.

– Voilà… Eh bien, à demain, Madeleine.

– Vous êtes chiant !

Sa bouche s'écrase sur celle de Gabriel.

Le local à poubelles, bâtiment C, escalier 3. C'est là que la grosse Babeth initiait, dans le noir palpable, des générations de gamins à leur premier patin. Sa langue s'était enfoncée dans la bouche de Gabriel avec une force démoniaque. Elle s'enroulait autour de la sienne comme le boa constrictor qui avait failli avoir la peau de Tarzan dans un fanzine lu la veille. Ce n'était plus une langue, mais un muscle, énorme, un biceps animé d'un mouvement rotatif qui lui emplissait le palais, cherchait à s'introduire plus loin, toujours plus loin, jusqu'à l'étouffer. Il n'avait dû son salut qu'en mordant à belles dents ce bout de barbaque vivant. La fille avait hurlé en le frappant, en lui tirant les cheveux.

Il avait lâché prise et s'était mis à courir dans le dédale obscur des caves, un goût de sang dans la bouche, poursuivi par les injures et malédictions venimeuses que crachait l'immonde reptile du fond de sa caverne. Deux de ses copains attendaient leur tour en haut des marches.

— Alors ?... Putain ! t'as plein de sang sur la bouche !...

Tous trois s'étaient enfuis coudes au corps. Gabriel avait douze ans.

— S'il vous plaît, Madeleine, je ne préfère pas.

— Je te dégoûte ou quoi ?

Dans le halo du réverbère le visage de Madeleine se met à fondre, à se diluer dans les abysses du doute. Gabriel la serre dans ses bras, lui tapote doucement l'épaule. Il avait eu le même geste pour José, après l'épisode du camion rouge.

— Mais non, Madeleine, mais non. Je vous jure, vous êtes très désirable. C'est juste que je ne préfère pas.

Elle aussi sanglote. Puis, se détachant brusquement, elle lui jette « Pauvre con ! » avant de claquer la porte derrière elle. Gabriel se dit que la fin du monde ne fera pas de bruit. Un gémissement, tout au plus.

– « Tu ne sors pas de table avant d'avoir fini ton assiette ! » Je n'aimais pas la soupe, qu'est-ce que vous vouliez que j'y fasse ? Je m'en foutais, j'avais tout mon temps. J'aurais attendu jusqu'à ce que les asticots viennent squatter ma gamelle. Au bout d'une heure il me foutait à la porte, mon assiette sur les genoux dans les escaliers parce qu'il avait besoin de la table pour faire ses puzzles à la con. Tous les chats du quartier connaissaient la combine. En cinq minutes l'assiette était vide, je pouvais rentrer. Rentrer, sortir… J'ai fait ça toute ma vie, toujours entre deux portes… Mais maintenant qu'il est mort pour de vrai, je ne sais plus trop de quel côté je suis. Vous savez, Gabriel, ça me fait bizarre, comme si je ne pouvais plus rentrer nulle part, comme si j'étais obligé de m'en sortir. Rita ! Tu bouffes comme un porc. T'as vu où on est ?

C'est le plus chic restaurant de la ville, deux étoiles, plus une troisième vacillante, cossu. Ce matin on a frappé à la porte de Gabriel. C'était le type au saxo – il s'appelle Marc – un grand sourire accroché derrière les oreilles.

– Ça y est ! Il est mort le vieux, raide !… Banco, quoi ! Alors Rita et moi on vous invite au restaurant, pour les cacahuètes.

Son père était décédé dans la nuit. Une chute de lit, un peu surprenante au regard de l'infirmière qui s'occupait de lui étant donné que le vieillard ne pouvait plus se mouvoir depuis belle lurette. Mais avec tous ces médicaments dont on charge les vieux comme des mules, on peut s'attendre à tout. À huit heures, le notaire avait prévenu Marc.

– Et c'est pas fini ! Rien que la maison avec le jardin en plein centre-ville, j'ai de quoi vivre deux vies, peut-être trois ! Et ça ne s'arrête pas là, c'est qu'il en a placé dans tous les coins, ce vieux salaud ! Je vais voir ça tout à l'heure avec le notaire. Rita, tu ne crois pas que deux cassolettes d'escargots ça suffit comme entrée ?

Gabriel n'en a mangé qu'une, c'est vrai qu'ils sont excellents, le hachis de morilles surtout. Marc souffle à son oreille une haleine chargée d'apéritifs.

– Ce soir, je la largue. Je ne peux pas la laisser s'accrocher à mon nouveau train de vie.

Rita lui sourit en torchant soigneusement sa cassolette d'un bon morceau de pain. Elle n'a certainement pas entendu mais elle n'est pas dupe et elle s'en fout. C'est que ces deux-là s'aiment, enfin, disons que la complicité qui les unit a pris avec le temps les nobles rides des vieux amants. Ils pourraient s'entretuer qu'ils ne s'en voudraient pas. C'est la vie, n'est-ce pas ? À force de voyager dans ce wagon qui pue des pieds, on finit par y faire son petit trou d'intimité, on se comprend. D'odeur à

odeur, de coups tordus en coups tordus, on se canni-
balise l'un l'autre. C'est dans l'habitude que tout
réside, plus besoin de réfléchir, de choisir, on s'y
retrouve les yeux fermés, chez l'autre comme chez
soi. Les pantoufles avachies, la tignasse du matin,
les cheveux sur le peigne, les coulisses de cet exploit
de vivre qui nous étonne chaque matin. D'accord,
pas toujours exaltant ce reflet dans le miroir, c'est
vrai qu'il y a des jours où l'on voudrait le briser
mais on ne le fait pas, parce que alors on se retrou-
verait le nez au mur et que le mur a encore une plus
sale gueule que soi.

– Ils sont bons vos ris de veau ?

– Délicieux !

– Moi, j'ai jamais pu piffer les abats. Ça sent trop
l'intérieur et l'intérieur…

– L'intérieur ?

– On sait pas trop ce qu'il y a dedans. Alors, vous
partez quand ?

– Je ne sais pas. Ça dépend du vent.

Marc fronce le front, un moment interdit, cherchant dans cette réponse équivoque un sens caché,
mais, n'en trouvant aucun, il hausse les épaules,
vide son verre et tend la bouteille au maître d'hôtel.

– Sa p'tite sœur !

Depuis qu'elle a dévoré sa caille farcie jusqu'au
dernier os, Rita joue avec sa serviette.

– Avant je savais faire plein de trucs avec, des
éventails, des cornets… C'est marrant, maintenant
j'y arrive plus… C'est peut-être le tissu qu'est plus
le même.

– Le tissu, tu parles ! Tu ferais mieux d'aller te

81

laver les mains et la bouche. On dirait un trou du cul de chèvre à légionnaire.

Rita lève sur Marc ses yeux en gelée, hésitant entre le rire et les larmes. Puis elle tend sa serviette au-dessus de son nez comme un voile en fredonnant : « *Trabadja* la mouquère, *trabadja bono*… » Puis elle se lève en faisant tomber sa chaise qu'un garçon redresse aussitôt.

– T'as raison, Marco, j'ai bien besoin de me repoudrer le nez.

Chancelante, elle zigzague entre les tables et disparaît par la porte des toilettes. Marc sort deux énormes cigares de sa poche et en tend un à Gabriel qui refuse. D'un coup de dent il en coupe une extrémité qu'il crache dans son assiette. Il ne sait pas faire les ronds de fumée, juste des nuages informes.

– Qu'est-ce que vous allez faire à présent que vous êtes riche ?

– M'emmerder comme un riche. Comme un pauvre, j'ai déjà donné. Ça doit pas faire une grosse différence, sauf manger quand on a faim et avoir chaud quand il fait froid. Faut faire avec c'qu'on a, pas vrai ?

– Certainement.

– C'est juste Rita qui me manquera un peu… Au début.

– Alors pourquoi la quitter ?

– Parce que, c'est comme ça. Les pauvres avec les pauvres, les riches avec les riches. Sinon, où on irait ? Une place pour chaque chose et chaque chose à sa place comme disait mon père. C'est pas de ma faute si j'ai changé de place !… Dégueulasse ce cigare. Il devait les garder depuis Mathusalem, aussi secs que son cœur... Eh, vous ne savez pas ?

– Non ?

– Quand on lui a fait sa toilette, il bandait, ce vieux salopard, il bandait ! Une trique mon vieux !... Je vous jure ! Allez savoir...

Rita revient vers eux, le visage plâtré d'une couche de fard qui lui fait un masque de tragédie grecque. Elle tremble de la tête aux pieds.

– Marco, je ne me sens pas bien... Je voudrais rentrer à l'hôtel...

Marc devient blême à son tour. Il se lève, laisse tomber sur la table une poignée de billets et lui saisit l'épaule.

– Quelle conne ! Pas ici, merde, pas ici !... Tiens le coup ! Excusez, Gabriel, à plus tard.

Sur les murs de l'église, les saints pendent. Ils ont
mauvaise mine, hâves, décharnés, mal rasés,
accablés, les yeux cernés par une nuée de soucis
mystiques, le cheveu gras. Même le label de qualité
rayonnant autour de leur tête ne les rend pas atti-
rants. Pas frais, tout ça. Le menu de la cène ne
devait pas être bien tentant. C'est sans doute pourquoi ils lorgnent d'un œil concupiscent l'enfant
Jésus bien dodu, reposant dans les bras de la Vierge
tel un cochon de lait rose bonbon. « Ceci est mon
corps... » Il ne faut pas tenter le diable qui loge au
fond des estomacs. L'odeur d'encens qui règne en
ces lieux rappelle celle des mauvais restaurants
grecs, la grillade froide. Si la lumière blafarde fil-
trant des vitraux voulait s'en donner la peine, elle
pourrait apporter une petite touche psychédélique à
toute cette vacuité mais elle se contente de faire où
on lui a dit de faire, un petit pipi angélique. Après
que Marc et Rita l'eurent quitté en urgence au
restaurant, Gabriel avait cherché un endroit de ce
genre pour digérer ses escargots et son ris de veau.
Il avait pensé au cinéma, histoire de s'asseoir dans

le noir, mais le problème avec le cinéma c'est qu'on y passe des films, assez bruyants en général, qui racontent des histoires encore plus chiantes que la réalité. L'église lui a semblé plus propice. Les chaises paillées sont peut-être un peu moins confortables que les fauteuils d'un Gaumont mais l'entrée est gratuite et on n'a pas à subir la promiscuité des mangeurs de pop-corn.

Il a dû s'assoupir un moment parce que, en ouvrant les yeux, il découvre à ses côtés la présence d'une vieille dame ruminant un dentier mal adapté entre ses lèvres absentes. On dirait un vieil oiseau tombé du nid, le bec aplati par un atterrissage de fortune, le cheveu bleu et rare coiffé en toupet sur un front plissé, menton en galoche, pommettes saillantes, cou drapé de peau molle animé par une pomme d'Adam qu'elle n'arrive pas à déglutir.

— Vous ronflez.

— Pardonnez-moi.

— Ce n'est pas à moi de le faire, c'est au bon Dieu de s'occuper de ça. Vous savez quoi ?

— Non ?

— Mon chien a été empoisonné ce matin.

— Votre chien ?

— Puisque je vous le dis !

— Désolé.

— Mais je viens de porter plainte au commissariat parce que je sais qui c'est !

— Vous avez bien fait.

— Entre nous, je n'y tenais pas tant que ça à ce chien. Mais c'est pour le principe.

— Je comprends.

– Il était moche, il aboyait tout le temps, et méchant avec ça ! C'était le chien de mon défunt mari, un corniaud.

Elle n'a toujours pas regardé Gabriel en face. Elle fixe l'autel, droit devant, en mâchouillant son râtelier tout en étranglant son sac à main posé à plat sur ses genoux cagneux.

– Ils allaient à la chasse ensemble et à la pêche aussi. Un corniaud, noir et blanc, Georges.

– Votre chien s'appelait Georges ?

– Oui, comme mon mari. C'était une idée à lui. « Comme ça si je me perds, j'ai qu'à m'appeler ! » Ça le faisait rigoler. Il est mort dans d'atroces souffrances.

– Votre mari ?

– Non, le chien. C'était pas beau à voir, je vous prie de me croire ! Ça a mis un temps fou. Pour mon mari ça a été plus rapide. Il s'est décapité en élaguant le cerisier avec sa tronçonneuse. Il n'a pas souffert. Enfin, c'est ce qu'a dit le docteur, mais qu'est-ce qu'il en sait, lui, il a jamais été décapité !

– Et votre chien ?

– Une boulette de viande empoisonnée. De la mort-aux-rats. Vous savez, les petits grains de blé rouges. J'en ai retrouvé plein dans son vomi.

– C'est terrible…

– Oui, terrible. Les yeux lui sortaient de la tête et la langue de sa bouche comme s'il voulait sortir de lui-même. C'est bête les animaux, surtout les chiens. Normalement, à force de fricoter avec les hommes… Ils ne pensent qu'à leur peau, ils ne sont pas comme nous, ils n'ont pas d'âme.

De son index tordu elle fait un signe de croix si rapide qu'on dirait une hélice d'avion.

– Vous attendez le père Mauro ?

– Non.

– Il est toujours en retard. Il boit.

– Ah.

– Oui, il boit. Et il se masturbe aussi devant sainte Rita. Je l'ai vu. Enfin, chacun a ses petits défauts.

– Certainement.

– Seulement je voudrais me confesser. J'ai rendez-vous chez le coiffeur à 16 heures et il est déjà 15 heures 40. Je n'en aurai pas pour longtemps. Faut juste que je lui dise que c'est moi qui ai tué Georges et que j'ai accusé mon voisin. Ah, tiens, quand on parle du loup !... Allez, bonne continuation, monsieur.

– De même.

La vieille dame se lève et trottine sur ses jambes arquées dans la travée centrale à la rencontre d'un curé jovial qui ferait le plus bel effet sur une boîte de fromage. Le bon Dieu peut être content, la boutique tourne toujours.

La rue grouille de figurants mais le public est absent, le metteur en scène aussi et la pièce n'est probablement pas écrite. Chacun va et vient, sans but précis, sans indication, hésitant, incapable de trouver sa place. C'est peut-être voulu. Il n'est pas rare de croiser la même personne à différents endroits de la ville, hagarde, perdue en elle-même, en attente d'un signe à défaut d'une révélation. Toute la ville semble en *stand by*. Le ciel est aussi indécis, tapotant ses nuages, arrosant un toit, allumant puis éteignant ses lumières. Des nuées de moucherons invisibles agacent la rétine. Vainement on les chasse d'un revers de main. Tout cela n'a pas de sens. Si l'existence n'est qu'un passe-temps, alors rien ne dit qu'il y aura un demain, tout comme on peut douter d'avoir vécu un hier. C'est un jour à tuer quelqu'un sans raison.

Gabriel s'est acheté une poêle, une casserole et un réchaud de camping. Ce soir il dînera seul dans sa chambre d'hôtel. Jambon-purée, crème de marrons. Il ne les supporte plus. Il ne veut plus les voir ni les entendre gémir, se plaindre de leur sort. Pourtant,

inconsciemment, ses pas l'ont mené jusqu'au Faro.
Il y a foule à l'intérieur. Un aquarium plein à cra-
quer. En l'apercevant derrière la vitre, José l'invite à
entrer en agitant son torchon. À présent le panda et
lui ont atteint un tel degré dans la gémellité qu'il est
impossible de les distinguer l'un de l'autre, la face
extasiée de Lou Ravi. Comme Gabriel ne bouge
pas, José se catapulte de derrière son comptoir et lui
ouvre la porte en grand.

– Eh ben qu'est-ce que tu fous, entre !

– Non, je…

– Elle a ouvert les yeux, Gabriel ! Elle m'a
parlé !…

– Qu'est-ce qu'elle t'a dit ?

– Farce.

– Farce ?

– Farce, ou face ou lasse… j'ai pas bien compris,
elle était encore dans les vapes, mais elle l'a dit
trois fois, les yeux grands ouverts ! Les toubibs n'en
revenaient pas. Allez, viens !… Tu sais, Gabriel, toi
et moi, maintenant c'est…

Il croise ses doigts, les larmes lui viennent aux
yeux. Puis il abat sa grosse paluche sur l'épaule de
Gabriel et le pousse à l'intérieur.

D'où sort-elle cette génération spontanée de
joyeux drilles, qui rient, chantent, racontent des
blagues en vidant verre sur verre ? Suffit d'un petit
arrosage pour qu'ils sortent comme des champi-
gnons d'entre les lattes du plancher. Que serait un
miracle sans témoins ?

– Ah non, pas de demi ! Aujourd'hui, champagne !
Dis donc, j'ai téléphoné à ton hôtel pour t'annoncer

la bonne nouvelle, mais t'étais pas là. La fille de la réception m'a dit qu'elle te ferait passer le message. Du coup, je l'ai invitée. Ça te dérange pas ?

– Mais non. Eh bien ! à la fin de tes soucis, José, je suis très heureux pour toi.

– Tu vas voir, tu vas bien t'entendre avec Marie. Tout va redevenir comme avant, en mieux !

– J'en suis sûr.

Le rideau de bambou à perles, parfaitement immobile, ne laissait filtrer du soleil qui incendiait la terrasse que des rais de lumière aussitôt absorbés par l'ombre bleue du séjour. Blandine dormait sur le divan, les lèvres entrouvertes, le front embué d'une sueur de sieste, un bras sous la tête, l'autre pendant, le bout de ses doigts frôlant le tapis de coco. Les chats, couchés à ses pieds, respiraient à son rythme. Quelque part au loin, très loin, quelqu'un jouait du piano. Il se plantait toujours au même passage, reprenait. Un nourrisson pleurait, un bateau arrivait, une mouche visitait le plafond, la maison chuchotait des ragots de maison. L'air portait encore les odeurs du barbecue, herbes de Provence, charbon de bois, écorces de melon. Juliette, à l'étage, rêvait à un ailleurs toujours possible à son âge en tétant son pouce, bercée par le balancement du hamac qu'il lui avait installé la veille. Gabriel venait de refermer son livre dont chaque page lui semblait un volet clos. Le seul fait de se consacrer à autre chose qu'à la douceur de cet instant magique lui paraissait incongru, voire grossier. Cependant, malgré ses efforts, il ne parvenait pas à s'abandonner, à s'endormir, à accéder au charme que tous les autres partageaient, sa femme, sa fille, les chats, la mouche... Il se sentait exclu, sans comprendre pourquoi, de toute cette pureté, de toute cette innocence, comme s'il avait commis quelque crime dont il ne se souvenait plus. Une bouffée d'injustice mêlée d'un désespoir coupable lui était montée à la gorge jusqu'à lui donner envie de hurler sous peine de suffoquer. Il avait dû se mordre le poing pour s'en empêcher tandis que les larmes coulaient sur ses joues. Jamais il n'aurait dû prendre l'avion le lendemain.

– Gabriel ?

Le visage de Madeleine apparaît comme dans la brume, au milieu des volutes de tabac. Elle a changé de coiffure, ses cheveux sont retenus par des peignes sur les côtés. Ça lui va bien, on découvre l'enfance. Et juste derrière son épaule, Rita, un sourire timide accroché de travers à ses lèvres maladroitement fardées.

– Vous avez l'air d'un fantôme. On s'assoit ? Il y a trop de monde au bar.

D'instinct, Rita a pris place à la table qu'elle occupait deux jours auparavant avec Marc. L'habitude... Tous trois installés, José vient leur servir d'office trois flûtes de champagne.

– Tournée du patron ! Et ce ne sera pas la dernière ! Gabriel, c'est comme qui dirait mon frère, alors vous lui demandez ce que vous voulez et moi j'accours.

Les deux femmes font banquette. Leurs nuques

dans le miroir, avec les petits cheveux qui frisottent… Madeleine lève son verre.

– Je ne sais pas trop ce qu'on fête ici, mais à votre santé !

On trinque. C'est fragile, les gens, dur et fragile comme le verre.

– Pour quelqu'un qui ne connaît personne en ville…

– C'est le hasard… José est la première personne que j'ai rencontrée, à part vous. Vous savez, le soir de mon arrivée, je vous avais demandé si vous connaissiez un restaurant ?…

– Et Rita ?… Vous vous connaissez aussi, je crois ?

– C'est pareil, le hasard.

– Au fond, vous vivez par hasard ?

– C'est ça, oui, par hasard, comme tout le monde. Et vous, Rita, sans indiscrétion, qu'est-ce qui vous amène ici, le hasard aussi ?

– Oh, moi !… mon hasard, il s'appelle Marco.

Rita esquisse un sourire amer et vide son verre cul sec. Il y a des gens qui portent la fatalité avec élégance. C'est le cas de Rita. Son cœur, martelé d'innombrables coups durs, résonne comme un gong, un bouclier de bronze sur lequel le destin ne peut plus que se casser les dents.

– Il a foutu le camp. J'étais chargée comme une mule en arrivant à l'hôtel après le déjeuner. Je me suis écroulée. En me réveillant, envolé, le Marco !

– Il va sans doute revenir. Il avait rendez-vous avec son notaire, je crois ?

– On n'emporte pas sa brosse à dents chez son

notaire. Parti, je vous dis, avec sa valoche, sans même me laisser un rond, sans même payer la chambre, ce fumier !... Dites, vous croyez que je peux en demander un autre ?

– Bien sûr. José, s'il te plaît ?

– Merci. Vous m'excusez, faut que j'aille aux toilettes.

José sert une autre tournée et glisse à l'oreille de Gabriel, mais suffisamment fort pour être entendu de Madeleine :

– Dis donc, mon cochon, tu ne t'emmerdes pas, deux d'un coup !

Madeleine étouffe un petit rire dans son poing puis reprend son sérieux.

– La pauvre. Je crois qu'elle se drogue. Vous avez vu ses pupilles, deux têtes d'épingle ! Tout à l'heure elle est descendue à la réception, échevelée, les yeux tout barbouillés, un vrai naufrage. Je l'avais vu partir le Marco en question, mais comme elle était là-haut, je ne pouvais pas me douter. Quel salaud, quand même ! Votre ami José venait juste de me téléphoner. Elle m'a fait pitié. Elle m'a dit que vous vous connaissiez, je lui ai proposé de m'accompagner. Ça ne vous dérange pas ?

– Non, vous avez bien fait, Madeleine.

– Vous les avez connus où ?

– Ici. Je leur ai donné des cacahuètes.

– Des cacahuètes ?

– Oui. Ils avaient un saxophone à vendre. Je l'ai acheté pour offrir aux enfants de José.

– Un saxophone... Vous faites des trucs bizarres.

– Vous trouvez ?

– Oui. Vous n'êtes là que depuis quatre ou cinq jours et déjà vous connaissez tout un tas de gens. Vous entrez dans leur vie comme ça, l'air de rien. On dirait que vous êtes partout chez vous.

– Mais je ne le fais pas exprès… Je vous jure que je n'y suis pour rien. Vous trouvez ça mal ?

– Je ne dis pas ça ! Vous me donnez le vertige, c'est tout. Vous n'êtes nulle part et partout en même temps. Enfin… Je suis bien embêtée avec cette pauvre fille. Je ne sais pas quoi dire à mon patron, ce n'est pas un tendre.

– Je vais régler sa note, ne vous en faites pas.

– C'est gentil de votre part. Mais qu'est-ce qu'elle va devenir ?

– Je ne sais pas.

– Vous croyez qu'elle pourrait se suicider ?

– Non, ce n'est pas le genre. Elle en veut trop à la vie.

– La voilà…

Au bar, les hommes se retournent sur son passage en se donnant des coups de coude. Elle n'est pas belle mais elle a du chien et sait le tenir en laisse d'une poigne de fer. Nonchalante, elle traverse la salle en roulant des hanches, ramassant un à un dans ses filets tous les regards dégoulinants de désir.

– Les hommes !… Enfin, il en faut. Mais au pluriel, pas au singulier ! *Ter-mi-né !*

Rire aussi, elle sait. Un bon rire franc, comme on se mouche dans ses doigts, sans façon. Madeleine la regarde avec une pointe d'admiration, d'envie peut-être.

– Je suis bien avec vous deux. Si j'avais du

94

pognon, je vous inviterais au restaurant. J'ai une de ces faims !

Rita voulait manger de la viande, rouge, avec des frites. Il ne reste dans son assiette que l'os du T-Bone steak et une virgule de moutarde. Elle s'est rendue deux fois aux toilettes et a descendu trois bouteilles de bière. Comme n'importe quelle bombe à retardement, on ne sait pas exactement quand elle va exploser. Le décor de western de ce restaurant de grillades où Madeleine les a conduits convient parfaitement à la situation. Ici, les bœufs mangent du bœuf en s'abreuvant de mousse, ce qui donne à leur regard ce trouble abyssal où la culpabilité le dispute à la voracité.

– Vous avez déjà vu un coquelicot blanc ?

– Non.

– Ben moi j'en ai trouvé un, une fois. J'étais petite, dans les huit ans… Au printemps, un dimanche. J'habitais à côté de Sens, un petit village, Subligny. Un pique-nique avec les cousins, les tantes, les oncles. On faisait des bouquets de fleurs des champs, bleuets, marguerites… Il faisait beau. L'hiver avait été long, très long. Les herbes me montaient jusqu'au menton. Le ciel, d'un bleu de carte postale. On riait en se courant après pendant que les hommes débouchaient des bouteilles et que les femmes étendaient des nappes, pâtés, jambons, salades… Une chouette journée. Et c'est là que je l'ai trouvé, tout seul dans son coin, un coquelicot blanc, mais blanc !… Je suis tombée devant comme si je venais de voir la Sainte Vierge. Il tremblait à cause du vent qui se roulait dans le pré. À côté, il y en avait d'autres, des rouges, des normaux, qui s'en foutaient de se laisser arracher, piétiner, des coquelicots, quoi. Du bout des ongles je l'ai coupé à la base et j'ai couru le montrer à la famille en le tenant à bout de bras comme un drapeau. Ils n'en revenaient pas de mon coquelicot albinos. On l'a pris en photo. J'étais fière comme trente-six poux. Tenez, je l'ai là, la photo…

Rita fouille dans le minuscule sac qui contient sa vie. D'un portefeuille patiné elle tire un cliché jauni, craquelé, aux angles rongés comme un petit-beurre. Une fillette hilare et potelée, coiffée à la Jeanne d'Arc, brandit à deux mains une fleur maigrelette au-dessus de sa tête. Derrière elle, le visage d'un gamin un peu flou fait une grimace au milieu des graminées sur fond de ciel laiteux. Rita, reine d'un jour inoubliable.

– On me reconnaît, non ?… Je l'avais coincé entre deux assiettes en carton pour ne pas l'oublier, mon coquelicot blanc. Mais après, tout le monde était bourré, il a dû passer à la poubelle. Ce n'est pas grave, rouge ou blanc, ça ne tient pas, le coquelicot.

La photo passe des mains de Gabriel à celles de Madeleine.

– C'est drôle, moi aussi j'ai des photos de moi au même âge, même coiffure, même robe. Je portais des lunettes affreuses ! Qu'est-ce que j'étais moche ! Vous, vous êtes bien. Qu'allez-vous faire à présent, Rita ?

– Je ne sais pas. Je n'arrive pas à penser. J'ai toujours eu du mal avec ça. Je n'aime pas décider. Et puis entre rien et n'importe quoi, qu'est-ce que vous voulez choisir ? J'ai passé ma vie à suivre, n'importe qui, n'importe où. C'est pour ça que j'étais bien avec Marco, il savait toujours où il allait. En général, droit dans le mur, mais c'est quand même un but dans l'existence !… Pourquoi il m'a lâchée cet enfoiré ?… Faut pas que je bouge. Je ne sais pas grand-chose, mais j'ai du pif. Il va avoir besoin de moi, ma tête à couper ! Vous qu'êtes un homme, Gabriel, qu'est-ce que vous en pensez ?

— Je ne sais pas. Attendre un peu, oui.

— C'est ça… Seulement, j'ai pas une thune.

— Je peux arranger ça. Je m'occupe de l'hôtel.

— Merci. Er si on partageait la même chambre, ça vous ferait moins de frais !

— C'est que… Je ne crois pas que ce soit possible…

— Ah… Je comprends. Je vous demande pardon, Madeleine, vous savez, quand on a mal on pense plus qu'à soi. Je suis bête.

Tournées l'une vers l'autre, les deux femmes font l'effet de se regarder de chaque côté d'un même miroir. Madeleine prend la main de Rita.

— Il n'y a rien entre Gabriel et moi, n'est-ce pas, Gabriel ?

Il ne répond pas, regarde ses mains posées à plat sur la table comme un jeu de cartes. Il pense au jambon-purée qu'il s'était prévu pour ce soir. Madeleine se redresse, pareille à la figure de proue d'un navire, son opulente poitrine pointée résolument contre vents et marées vers un horizon brumeux.

— Vous allez venir chez moi, Rita, quelque temps. Ensuite, on verra.

97

– Pourquoi vous faites ça ? On ne se connaît presque pas…

– Je ne sais pas. Demandez à Gabriel, lui il doit savoir. Il sait toujours tout.

« *Love me tender, love me sweet, never let me go…* » C'est la musique du générique de fin. Les lumières du restaurant s'éteignent une à une. On paie son addition, on va digérer sa viande et ses frites, cuver sa bière où l'on veut, où l'on peut. Demain est un autre jour.

À force, on ne pense plus à la pluie. Elle circule sur les toits, dans les caniveaux, aussi naturellement que le sang dans les veines. Le parapluie de Madeleine est trop petit pour trois. Gabriel marche derrière, devant ou à côté, selon la largeur du trottoir.

– Bien, je vous souhaite une bonne nuit…

Les deux femmes accrochées au manche du parapluie le regardent ruisseler à l'angle de la rue, sous le cône de lumière pâle d'un réverbère.

– On va pas se quitter comme ça ! Vous voulez pas prendre un dernier verre avec nous ? T'as bien quelque chose à boire chez toi, Madeleine ?

– Oui, mais il ne voudra pas.

– Une autre fois. Je me lève tôt demain. Au revoir.

Elles le suivent des yeux, dos voûté, sautillant de flaque en flaque, pareil à un point d'interrogation.

– Il est pas banal ce mec-là. T'as le béguin pour lui, Madeleine ?

– Peut-être…

– Des fois, on dirait une espèce de curé… Enfin, c'est un homme quand même et avec eux on ne sait jamais. Et les femmes, Madeleine, tu les aimes les femmes ?...

Leur rire fait le même clapotis que les gouttes sur la toile tendue du parapluie. On dirait une chauve-souris à deux têtes. La ville bâille, les toits godaillent.

Il ne restait plus dans le compartiment congéla-
teur du frigo qu'une langue de veau, énorme,
constellée de cristaux blancs. Tout le reste était
vide, comme l'appartement. Il avait passé la jour-
née à attendre qu'elle décongèle, posée sur la
planche à découper. Toute une journée à suivre
le long ramollissement de cette langue muette.
Il n'avait rien d'autre à faire. Vers dix-neuf heures,
il l'avait plongée dans un court-bouillon et s'était
préparé une sauce piquante, tomates, cornichons,
petits oignons. Il y en avait pour un régiment.
Pourtant il l'avait mangée en entier, sur la ter-
rasse, cette langue qui ne lui disait rien, jusqu'à
s'en rendre malade, jusqu'à ce qu'il ne reste plus
que les petits os du gorget et des morceaux de
cartilage. Le téléphone avait sonné tandis qu'il
vomissait, la tête enfoncée dans la cuvette, les
mains accrochées à la faïence blanche. Ça n'avait
pas d'importance. Il n'avait plus rien à dire à per-
sonne. Puis il était retourné sur la terrasse, enve-
loppé dans le vieux plaid qui servait aux chats. Il
faisait chaud mais il grelottait en regardant la

*faucille de lune faucher les étoiles. D'habitude, à
cette heure-là, Juliette dormait, le pouce dans la
bouche, Blandine dessinait à sa table de travail, les
chats jouaient à s'attraper... Mais il venait de
vomir une langue de veau entière et il n'avait plus
de mots pour dire la nuit, la mer, ce qu'il faisait
encore là.*

– À quoi tu penses ?

– À une langue de veau.

– T'es pas possible, toi, tu penses qu'à la bouffe !
Et avec les filles, hier soir, comment ça s'est passé ?

– Bien. On a été au restaurant et je suis rentré.

– Seul ?

– Seul.

– Je ne te comprends pas. Elles te bouffaient des
yeux, surtout la grande, celle de l'hôtel, comment
qu'elle s'appelle déjà ?

– Madeleine.

– Mon vieux, t'aurais juste à claquer des doigts !
C'est un beau brin de fille. Note bien que l'autre
est pas mal non plus. C'est un autre genre. Alors tu
t'en es fait aucune ?

– Ce sont des amies, juste des amies.

– Après tout, ça te regarde. Mais c'est du gâchis
quand même. Dis donc, qu'est-ce que t'en penses
de mes fleurs ?

– Très jolies !

– Des orchidées ! Elles viennent des îles je ne sais
quoi. Jette un coup d'œil à l'arrière pour voir si elles
ne sont pas trop amochées. Je les ai achetées tôt ce
matin.

Gabriel se penche sur la banquette arrière. C'est laid les orchidées, ça ressemble aux photos de maladies vénériennes dans les bouquins de médecine.

– Elles n'ont pas pris une ride.

– Tant mieux. Regarde-moi ce connard, devant ! Et que je te double et redouble… Tiens, le voilà bloqué au feu. Bien fait pour sa gueule ! Après l'hôpital, je passerai un coup de fil aux enfants pour leur dire d'être bien sages quand leur mère sera rentrée à la maison. C'est qu'elle revient de loin, il va lui falloir du temps pour se remettre. À moins qu'on aille les voir, si t'as rien d'autre à faire, bien sûr.

– Si tu veux.

– Bon, ben nous y voilà… Je crois que je vais enlever ma cravate, sinon je vais exploser.

Du blanc à perte de vue. La banquise aseptisée de l'accueil. José a l'air d'un petit arbre perdu avec son énorme gerbe dans les bras.

– Bon, ben on se retrouve là ?

– Je ne bouge pas. Allez, va.

Gabriel feuillette des revues, assis sur une chaise de plastique moulé. On y voit des vedettes du cinéma, de la politique, de la télévision, souriant aux photographes. Ils ont tous des yeux bleus, des dents blanches et le teint bronzé. Ils n'ont pas le droit d'être malheureux. On les a élevés comme ça, jusqu'au sommet de la gloire, condamnés pour l'éternité au bonheur. Le commun des mortels, lui, peut, c'est même un devoir. Perfusion, déambulateur, chaise roulante, tout ce qu'il veut. Traîner sa carcasse en chuchotant des pantoufles, entortillé dans une robe de chambre trop grande, fumer une cigarette, boire un gobelet de café lavasse, attendre la famille ou lorgner celle des autres, le teint plombé, l'œil vide, les joues creuses, attendre… attendre… se contenter de petits mots : « Bon courage, bonne chance, à bientôt… » Ce bout du monde est si petit qu'on ne peut y avoir que de petites pensées. On s'excuse pour tout : « Excusez-moi, je peux prendre ce magazine ?… Excusez-moi, vous allez à quel étage ?… Excusez-moi, vous avez l'heure ?… » Excusez-moi d'être encore là, moche et malade. Des infirmières rigolent en poussant des chariots remplis de gamelles dégageant des odeurs de bouffe de malade, tiède et fade. Leurs sabots claquent sur le dallage. Gabriel fredonne : « C'était un petit cheval blanc, tous derrière, tous derrière… »

La porte de l'ascenseur B vient de s'ouvrir. José en sort, pareil à un panda qui serait resté trop longtemps sous la pluie. Il passe devant Gabriel sans le voir.

– José ?… José ?…

Il se retourne, le visage dénué d'expression, un miroir devant lequel il n'y aurait personne.

– José, ça ne va pas ?

– Elle n'est pas morte. Mais elle se réveillera plus. Elle dort… C'est ça, elle dort… Je suis fatigué, Gabriel. Je voudrais rentrer chez moi. Moi aussi je voudrais dormir.

Le croissant n'est pas bon. Il n'en a eu envie qu'à cause du parfum artificiel dont on vaporise certaines boutiques. Ça lui a rappelé son enfance. Au fond, il n'avait besoin ni de croissant ni de se souvenir de son enfance. Son nez l'a trompé. Alors, assis sur un banc de square, il en fait des miettes qu'il distribue aux pigeons. Un à un ils viennent taper du bec à ses pieds avec la pugnacité d'outils mécaniques. Ce n'est pas un spectacle captivant mais on s'y fait.

– Faut pas leur donner à manger à ces cons-là.

Curieusement, l'homme qui vient de s'exprimer à l'autre bout du banc ressemble à un pigeon, un peu gras, l'œil rond, nez pointu, drapé dans un imperméable gris.

– Pourquoi ?

– Ils chient sur ma fenêtre. Ils chient sur ma bagnole, ils chient sur les saints des églises, sur les statues. Ils chient partout. Comme si on n'était pas déjà suffisamment dans la merde !

– Ce sont des oiseaux.

– Justement ! Ils ont toute la place. C'est pas les champs, les bois qui manquent. Mais non, ils viennent nous chier dessus, à cause de gens comme vous qui leur donnent à bouffer. Et puis d'abord, c'est pas des oiseaux, c'est des rats, volants, mais des rats, l'âme des rats crevés qui vient se venger des égoutiers. Pour eux, nous sommes tous des égoutiers. Dans un sens, ils n'ont pas tort, mais faut bien se protéger. Regardez-les se gratter ! Ils sont pourris de maladies, immangeables.

— Vous avez essayé ?

— Bien sûr ! J'en ai piégé, à la glu. C'est plus dur que le corbeau. Mais le corbeau, lui, il est utile, c'est un charognard, un nettoyeur, il bouffe que du mort. Imaginez un champ de bataille sans corbeaux ? Un vrai dépotoir ! Mais le pigeon, à part porter un message d'une tranchée à l'autre, qu'est-ce qu'il a à foutre sur un champ de bataille ? Et puis, ça se fait plus. On a des moyens de communication modernes maintenant. Enfin... Ça se discute... Bref, à force de fréquenter les soldats, de se prendre pour un héros, un sauveur de la France, il s'est élevé au-dessus de sa condition, le pigeon, il est devenu con et prétentieux. Et c'est pour ça qu'il nous chie dessus. L'humanité finira encroûtée de merde de pigeon malade, parce qu'ils sont tous malades, ils vont, ils viennent, ils attrapent tout du pire des mondes ! C'est triste. Une sorte de Pompéi, quoi.

— Mais alors, qu'est-ce qu'on peut faire ?

— En tuer le plus possible et renvoyer les autres chez eux.

— Chez eux ?

— Ils viennent bien de quelque part, non ? Place

Saint-Marc, à Venise, par exemple. On ferait deux coups d'un seul, ils contamineraient tous les touristes japonais, américains, suédois, bulgares... Enfin, ils ont bien un pigeonnier quelque part. En tout cas, si on ne leur donnait pas à becqueter ils foutraient le camp. En plus de ça, vous les nourrissez de saloperie. Vous l'avez acheté où, votre croissant ?

— Dans une croissanterie sur le boulevard.

— Je m'en doutais ! Vous imaginez la qualité de la merde qu'ils vont nous lâcher sur la gueule ?

— C'est vrai, je n'y avais pas pensé.

L'homme hausse les épaules et se gratte vigoureusement la tête. Il tombe de ses cheveux graisseux une neige de pellicules qui blanchit aussitôt le col de son imperméable. Il s'en débarrasse en se battant les flancs de ses coudes repliés, tendant le cou et se raclant la gorge.

— Notez que les mouettes ne valent guère mieux. J'ai passé une nuit dans un hôtel à Cancale. Ma chambre donnait sur les poubelles du restaurant. Pas fermé l'œil de la nuit. Et les hirondelles ? Vous croyez qu'elles font le printemps ?... Y en a plus de printemps !... Moi, je suis contre les oiseaux, tous les oiseaux, y a trop de monde là-haut. C'est nos poubelles qui les attirent, nos monstrueuses poubelles. Moi, jeune homme, je ne laisse rien, je finis tout, je ne laisse pas une miette ! J'ai même donné mon corps à la médecine. Il ne restera rien de François Dacis, rien ! Comme si je n'avais jamais existé, et j'en suis fier !

— C'est tout à votre honneur.

– Je ne le vous fais pas dire. Tenez, entre nous…
Même les anges, je m'en méfie.

– Les anges ?

– Oui, les anges. À force de voleter au milieu de
tous ces volatiles interlopes, ils sont contaminés,
grippe aviaire et compagnie, je vous le dis ! Avant,
les anges avaient une bonne bouille de bambins bien
nourris, ils soufflaient dans des trompettes, mais
aujourd'hui, jeune homme, on dirait des drogués. Ils
planent, ils planent avec un air de se foutre de
tout !…

À nouveau il se gratte furieusement, l'œil fiévreux,
secoue ses pellicules en se roucoulant la gorge.

– L'apocalypse viendra de là-haut, comme à
Hiroshima. Depuis que le patron est mort, c'est
l'anarchie dans les nuages. Faut investir dans la
terre, le marbre ! Prenez-en de la graine, jeune
homme, c'est moi qui vous le dis !

De sa poche il tire un papier froissé qu'il lisse sur
son genou avec son avant-bras. C'est une espèce de
plan d'architecte.

– Abri antiaérien, antiatomique, antipigeon, anti-
tout. Dix mètres carrés, épaisseur des murs, quatre
mètres en béton armé suédois, enfoui à cinquante
mètres sous notre bonne terre de Bretagne. J'ai tout
prévu, là, les latrines avec récupération des excré-
ments pour le chauffage, là, l'eau de récupération à
triple filtrage à cause du lisier, là, le séjour, canapé,
télé, radio, bar, confort, quoi. Ici, les réserves : blé,
riz, maïs, pâtes, conserves, à côté du coin-cuisine,
avec l'armurerie, on ne sait jamais ; et une pharmacie : aspirine, mercurochrome, pansements… Et le

plus du plus, une cave, dix mètres plus bas, avec tout ce qu'il faut aussi ! Je peux tenir soixante ans, plus si affinités !… Après, je meurs, mais de mort naturelle. Ce n'est pas merveilleux ?

– C'est magnifique ! Et c'est où ?

Il plisse des yeux malicieusement en se tapotant l'index sur le front.

– Top secret, mon jeune ami, tout est là !

Puis il retrousse sa manche et fixe son poignet dépourvu de montre.

– Bon Dieu ! Il faut que j'y aille. Dix euros ?

– Quoi, dix euros ?

– Mon plan de survie, je vous le cède pour dix euros, cinq pour manger, cinq pour mon shampoing ?

– D'accord.

– Vous faites une bonne affaire. Mais plus question de donner à manger aux pigeons, promis ?

– Promis.

– Alors bonsoir, jeune homme. La nuit tombe, le temps se gâte, vous devriez rentrer chez vous. Au plaisir.

L'homme se lève, s'ébroue les épaulettes, torse bombé, nez en l'air, puis écarte brusquement les pans de son imperméable et fonce droit devant lui au milieu d'un envol de pigeons effarouchés.

Sur un autre banc, deux adolescents ne s'embrassent pas. Le garçon regarde ses baskets neuves, énormes, du quarante-six peut-être. La jeune fille tord une mèche de ses cheveux et s'en fait une moustache. L'un et l'autre ont l'air de s'ennuyer profondément. Ça leur va bien. Le ciel est gonflé d'une laitance opaque qui absorbe avec la même indifférence joie et peine. Gabriel frotte ses mains l'une contre l'autre. Il les a lavées dix fois mais elles sentent toujours l'hôpital. José a insisté pour dormir dans le lit d'un de ses enfants. Les trois cachets de somnifère devraient le tenir en paix jusqu'à demain, sa grosse tête de sanglier reposant sur une taie d'oreiller Mickey.

« Rita et moi t'avons attendu jusqu'à huit heures. Rejoins-nous chez moi si tu veux. Madeleine. »

Le petit mot a été glissé sous sa porte. Il ne sait pas s'il ira. Des raviolis mijotent sur le Bleuet posé devant la fenêtre ouverte. Une cloche sonne neuf coups. On dirait qu'elle teste la densité du ciel. Il n'a pas mangé de raviolis en boîte depuis son enfance. Il en mangeait souvent, il adorait ça. À présent, même généreusement saupoudrés de parmesan, il trouve ça dégueulasse, l'impression d'avaler des cuillerées de vomi. Pourtant il finit tout, par devoir envers son enfance, peut-être. Puis il va laver la casserole dans le lavabo de la salle de bains. Lentement le siphon déglutit dans un gargouillement dégoûtant le tourbillon d'eau rougi de sauce tomate. Dans le miroir il s'en découvre aux coins des lèvres. La sauce tomate, c'est comme le sang, on n'arrive jamais à s'en débarrasser complètement, on en oublie toujours une goutte quelque part. Des mois après… l'accident, il en retrouvait des particules sous la semelle d'une chaussure, sur un bouton, d'infimes paillettes. Il finissait par en voir partout, comme des confettis

110

après un carnaval. Il ferme les yeux un instant. Ne subsiste dans le noir de sa tête que la barre incandescente du néon, horizontale, au milieu du front. Brusquement il quitte la salle de bains, enfile en hâte son caban, claque la porte derrière lui, dévale les escaliers et se retrouve dans la rue. Là, sur le trottoir, il lève le nez au ciel et aspire tout ce que ses poumons peuvent contenir de cette nuit parfumée au lisier. Peu à peu la brûlure du néon s'estompe, pareille à une lame chauffée à blanc plongée dans un bac d'eau froide. Il se met en marche avec l'obstination d'une vieille machine à vapeur. De la main il effleure tout ce qui passe à sa portée, le métal glacé d'un poteau de sens interdit, le papier gondolé d'une affiche, la rugosité d'un mur de brique… Il faut qu'il touche, pour se rassurer, pour s'assurer de la réalité des choses qui l'entourent, du sec, du mouillé, du chaud, du froid… Il doute de tout. Il accélère son pas, il court fuyant on ne sait quel prédateur, son ombre, ou ce passé qui engloutit à chaque seconde son présent. Il sent son haleine de gouffre sur sa nuque. La ville craque autour de lui comme un bateau pris dans la tourmente. Le goudron se soulève, le ciel va s'effondrer… C'est en naufragé, haletant, qu'il parvient au domicile de Madeleine.

– Ah, Gabriel ! On se demandait si tu allais… Mais qu'est-ce que tu as ?… On dirait que tu as vu le diable !

– Non, ça va. J'ai couru à cause de la pluie.

– Mais il ne pleut pas.

– Justement, je voulais arriver avant qu'elle tombe.

La porte se referme dans son dos. La bête est restée dehors. Il n'y a plus qu'un présent douillet. Rita est allongée sur le canapé. Elle porte un survêtement et des mules trop grandes pour elle, sans doute empruntées à Madeleine. Il ne lui a pas fallu longtemps pour faire partie des meubles.

– Eh ben le voilà ! On n'y croyait plus.

Elle se remet d'aplomb et l'invite à s'asseoir en tapotant le coussin à côté d'elle. Gabriel s'y laisse tomber en reprenant son souffle. Il fait doux, chaud, sucré. Madeleine s'assied en face sur un pouf. En lui servant un verre de cognac, elle dévoile la courbe d'un sein par l'échancrure de son peignoir. Elle a les cheveux mouillés. Sans doute sort-elle de la salle de bains. Il se dégage d'elle des effluves de savon, de propre, de rosée. Gabriel vide son verre d'un trait. Un à un ses muscles se détendent. Il voudrait avoir toujours été là. Les deux femmes s'échangent des coups d'œil interrogatifs. Rita se sert une généreuse dose d'alcool.

– On se disait que tu allais nous préparer un petit souper fin.

– Vous n'avez pas mangé ?

– Mais si, rassure-toi. Une dînette de jeunes filles. En parlant d'assiette, t'as pas trop l'air dans la tienne. Je t'en sers un autre ?

– Je veux bien.

Madeleine lui pose la main sur le genou.

– C'est la femme de José ?

– Non… Enfin oui, peut-être. Elle est retombée dans le coma. Personne ne peut dire quand elle s'en sortira. Peut-être jamais. Ça peut durer des semaines, des mois, des années…

– Et José ?

– Je l'ai raccompagné chez lui. Il dort. Je lui ai donné des somnifères. On verra demain.

Rita se lève, vide son verre et met un CD. C'est une sorte de tango à la sauce techno qu'on entend souvent à la radio ces temps-ci. Puis elle vient se rasseoir, presque sur les genoux de Gabriel.

– Moi, les histoires de *Belle au bois dormant*, ça m'a toujours fait chier.

– Rita !

– Ben quoi, Madeleine, c'est vrai ! Même petite, j'aimais pas tous ces contes à la con qu'on vous raconte. Soit c'est des horreurs qu'on se demande comment des adultes peuvent lire ça à des enfants, soit c'est gnangnan et emmerdant au possible. Tant qu'on racontera des conneries pareilles aux mômes, faudra pas s'étonner que le monde soit aussi tarte qu'il est.

– Moi j'aimais bien *la Petite Sirène*…

– Ben merde, alors ! Une nana qui se fait faire des guiboles qui lui font un mal de chien pour un mec qui va la plaquer aussitôt ! Tu trouves ça moral ? Faut être tordu pour écrire des trucs pareils ! Et puis d'abord, c'est toujours les gonzesses qui trinquent dans ces histoires-là. Tiens, *la Petite Fille aux allumettes* ?… Morte de froid ! Et dans *le Petit Poucet*, qui c'est qui passe à la casserole ?… Les filles de l'ogre, bien sûr !… Toi qui connais tout, Gabriel, j'ai pas raison ?

– Je l'ai vue, la petite sirène, à Copenhague…

– Ah. Et elle était comment ?

– Petite.

– J'en étais sûr ! Staline, De Gaulle, Émile Zola, alors là, on chipote pas pour le bronze ! Mais pour une petite sirène… Au ban de la société, qu'on est, un banc de sardines entouré de maquereaux !

Madeleine sourit, la mer à marée basse. Elle doit s'en foutre un peu de la condition féminine. Elle flotte entre deux eaux, quelque part en Guadeloupe.

– Faudrait jamais sortir de l'eau, les hommes comme les femmes. Rien n'est pesant sous l'eau, on glisse, on se frôle, tout se balance, pas de bruit… C'est calme, on ne pense pas…

Elle doit être un peu grise. Elle se lève et se met à tourner sur elle-même, les yeux fermés, le corps abandonné au rythme de la musique, son peignoir formant une corolle.

– Avant y avait rien, après y aura rien et entre les deux on se fait chier. Pourquoi ?… Pourquoi ?…

Rita éteint la lampe à côté du canapé plongeant la pièce dans une obscurité verdâtre uniquement éclairée par le lampadaire de la rue. On se croirait dans un aquarium. Rita se colle contre Gabriel.

– Elle est belle, non ?

– Oui, très.

– Ça te fait pas envie ?

Un aquarium, il en avait acheté un à Juliette pour ses quatre ans mais elle avait toujours refusé qu'on y mette des poissons. Elle n'aimait que les algues en plastique, le petit scaphandrier agenouillé devant le coffre au trésor et les bulles d'air dansant comme

*des perles vivantes. Le soir, elle s'endormait devant,
le pouce dans la bouche. Sa chambre n'était jamais
noire. Elle avait tellement peur du noir…*

– Tu veux que je te suce ?
– Non merci, Rita, c'est gentil, mais non.
– Alors avec Madeleine ?
– Non plus. Vous êtes charmantes toutes les deux,
mais non. C'est comme ça.
– Alors regarde nous. Tu peux faire ça, au moins.
– D'accord.

– C'est pas qu'il aime pas les femmes, Marco,
mais il leur en veut parce qu'il en a été une, une
fois.
– Non ???…
– Je te raconte. Il devait avoir dix-sept ou dix-huit
ans. Quatre potes dans une bagnole, ils allaient à
une fête, quelque part dans un coin paumé, en
Auvergne peut-être bien. Tous les garçons devaient
se déguiser en fille et les filles en garçon, une décon-
nade de gamins, quoi. Les voilà partis dans leur
caisse pourrie, raides défoncés, maquillés comme
des voitures volées, perruques, minijupes, hauts
talons, soutifs, porte-jarretelles, enfin, comme les
mecs fantasment sur les gonzesses. Ça rigolait dur,
ils avaient pris de la coke et les pétards tournaient.
Bref, tout allait bien. Mais vers neuf heures, la
bagnole tombe en carafe dans le trou du cul du
monde, la nuit, en pleine brousse. Il y a un village
à deux bornes. Marco et un autre décident d'aller
téléphoner, ou de se faire dépanner. Seulement, ils

s'aperçoivent qu'ils ont oublié de prendre leurs affaires de rechange, leurs vêtements de mec. Ils y vont quand même, pas le choix, clopin-clopant en se tordant les chevilles sur leurs escarpins, hallucinés comme pas possible sous la pleine lune. Ils arrivent au village. Tout est fermé sauf un bar routier. T'imagines la suite ?... Deux travelos au milieu d'une bande de gros bras bourrés de bière, tatoués comme des portes de chiottes. Tu parles qu'ils leur ont fait leur fête ! Il ne s'en est jamais vraiment remis. Tu vois, c'est un truc comme ça qui a dû arriver à Gabriel. À chacun sa valise. La mienne est tellement pleine que j'arrive plus à la fermer.

– Tu penses encore à lui, après ce qu'il t'a fait ?

– Évidemment ! Quand tu dors avec un homme pendant des années, même si c'est le pire des enfoirés, tu l'as quand même vu au moins une fois, accroché à ton sein comme à une bouée, si petit, si fragile, si vulnérable... Je sais que c'est bête, mais dans ces cas-là, on pardonne tout, on oublie tout. Ça t'est jamais arrivé ?

– Non. Des petits coups de cœur, par-ci par-là... De la tachycardie, pas plus. Jamais le grand amour.

– Tout de suite, les grands mots ! Je ne te parle pas du grand amour mais de l'amour tout court, celui à tout le monde.

– Même celui-là, non, je ne crois pas.

Les deux femmes le croient endormi, recroquevillé dans le canapé. Madeleine l'a recouvert d'un châle. Il a fait semblant de sombrer dans le sommeil quand elles ont commencé à se tripoter en dansant. C'était maladroit, touchant, un peu triste. À présent elles chuchotent, l'une assise sur le pouf, caressant les cheveux de l'autre dont la tête repose sur ses genoux. L'intérieur des femmes, c'est comme Lascaux, en plus ancien, en plus profond, si profond qu'on pourrait s'y croiser à la lueur d'une torche, errant à l'infini, déposant des empreintes, des étreintes sur les parois pour retrouver son chemin. On y entre une fois et on n'en sort jamais. Il a suffi de l'irruption d'un trop-plein de soi pour se mettre dans la peau de l'autre, s'y solubiliser. Le châle de Madeleine sent son parfum... Comme il aimerait se diluer dans l'estuaire, ne plus avoir été...

– Gabriel ?... Tu es réveillé ?... Tu pleures ?...

Cette main si douce pèse le poids d'une vie sur son épaule.

– Je... Je rêvais. Quelle heure est-il ?

– Qu'est-ce que ça peut faire ?

– Rien. C'est ce qu'on dit quand on se réveille. Il fait jour ?

– Pas encore. Tu veux un café ?

– Je veux bien.

Chère Madeleine... Son visage est aussi vierge qu'une lettre qu'on n'a pas réussi à écrire. Rita feuillette un livre. Les pages entre ses doigts font un bruit d'aile d'oiseau. Elle s'arrête sur l'une d'elle et se met à lire d'une voix qui n'est pas la sienne :

– « Alors j'ai résolu de me lever, de faire le tour de la ville, de parcourir les rues et les places, pour chercher celui que mon cœur aime... Je l'ai cherché mais je ne l'ai pas trouvé !... J'ai rencontré les gardes qui font leur ronde dans la ville ; je leur ai dit : Avez-vous trouvé celui que mon cœur aime ? »

Rita repose le livre, se tourne vers la fenêtre. C'est peut-être la lueur laiteuse du petit jour sur ses joues, mais on dirait qu'elle pleure.

– C'est bizarre, les livres, ça parle tout seul. Gabriel, tu voudrais pas m'aider à retrouver Marco ?

On peut retrouver des pas dans la neige, sur du sable, mais en ville ?... Les trottoirs en sont criblés, le goudron boursouflé, tuméfié, bosselé. Ils vont, ils viennent, repartent et reviennent, piétinent, freinent, traînent. Et puis, après avoir hésité, prennent appel et disparaissent pour toujours, quelque part, là-haut...

— Faut qu'on le trouve, Gabriel, faut qu'on le trouve !

— Il est trop tôt, Rita, on ne peut pas réveiller le notaire à cette heure.

— Pourquoi ? Ça se lève tôt, un notaire, des fois qu'il raterait une affaire.

— Nous trouverons Marco, Rita, mais pas comme ça, pas en le cherchant. Il faut que j'aille voir José.

— José, José ! Et moi ?

— Chaque chose en son temps. S'il te plaît, rentre chez Madeleine, tu n'as pas dormi de la nuit.

— T'arrêtes de me parler comme à une grande brûlée ? Tu m'avais promis...

— Rita, j'ai dit que j'allais t'aider à retrouver Marco, je le ferai, mais pas maintenant. Plus tard.

119

– T'es qu'un faux saint, voilà ce que t'es ! Tu nous fais décoller et tu nous lâches en plein vol !

– Rita, je n'ai jamais prétendu être un saint !… Je ne suis qu'un homme…

– T'es pire qu'un homme, t'es un ange, t'as pas de couilles !

Coup de pied dans la poubelle. Le sac en lézard se balance au bout de son bras comme un marteau, ses pieds pilonnent l'asphalte, deux grosses larmes germent aux coins de ses yeux. Sa bouche se tord sur des mots qui n'arrivent pas à sortir. On dirait une baudruche prête à éclater.

– Un miracle, merde, c'est pas grand-chose, non ?

Puis elle tourne brusquement les talons et se lance sur le boulevard comme une boule de bowling. Heureusement, il n'y a pas grand monde.

– Pardon, monsieur…

– Oui ?

– Faut que j'ouvre mon magasin… Vous êtes appuyé sur mon rideau de fer.

– Excusez-moi.

C'est un petit homme sépia de la tête aux pieds qui a toujours dû avoir le même âge, c'est-à-dire aucun. Un brouillard d'homme. D'un geste mille fois répété, il ouvre un énorme cadenas, soulève la grille jusqu'à mi-hauteur et se glisse à l'intérieur du magasin. Il en ressort aussitôt armé d'une longue perche munie d'un crochet qui lui permet de soulever la résille de métal jusqu'en haut. Cordonnerie Cachoudas. La vitrine est coquettement décorée de semelles en liège ou en mouton, de pots de crème, de boîtes de cirage, de talonnettes de toutes tailles, enfin, de tout ce qui concerne le pied. De la porte entrebâillée se dégage une puissante odeur de colle, de cuir et de caoutchouc. Le cordonnier revient sur le pas de sa porte respirer une dernière goulée d'air frais en boutonnant sa blouse quand il aperçoit Gabriel toujours planté devant sa boutique.

– Vous attendiez l'ouverture ?... Vous avez besoin de quelque chose ?

– Oui, de lacets.

– Des lacets... Entrez.

L'endroit est si exigu qu'on se sent l'envie de s'y replier sur soi-même, à moitié groggy par les vapeurs de colle néoprène, de sueur et de cuirs avachis. Les murs sont tapissés de rayonnages sur lesquels s'aligne un nombre incalculable de bottes, bottines, mocassins, escarpins, richelieux, balle-rines, sandales, en plus ou moins bon état et de poin-tures diverses. On pense à une armée en déroute. L'estrade que masque le comptoir doit être très haute car le petit homme, à présent, domine Gabriel d'une bonne tête. Enfin, pas si bonne que ça. Dans le halo de la lampe de travail à bras mobile, le visage du cordonnier apparaît en juge sévère, scrutant celui de son client, sans états d'âme.

– Des lacets, c'est bien beau, mais des lacets com-ment ?... C'est qu'il y a lacet et lacet ! Des courts, des longs, des ronds, des plats, des noirs, des mar-rons, des rouges... Faudrait déjà se mettre d'accord sur le genre de lacets que vous souhaitez.

– Certainement. Des longs, ronds et rouges.

– Pour des chaussures de montagne ?

– Exactement, pour des chaussures de montagne.

Son visage s'éclaire. Il ouvre les bras, ce qui crée une petite parenthèse entre chacun des boutons de sa blouse. Dessous il porte un pull marron, sans doute tricoté main.

– Eh bien voilà ! Suffisait de le dire tout de suite… J'ai là un modèle italien quasiment *in-des-truc-tible !*… Attendez que je les trouve…

Un instant il disparaît derrière son comptoir et Gabriel se dit que ce qu'il a toujours préféré dans les marionnettes, c'est le marionnettiste. Le cordonnier réapparaît après avoir bougonné longuement, rayonnant, galvanisé par sa trouvaille, une paire de lacets rouges présentés sous plastique, en torsade, qu'il tient entre son pouce et son index comme un pêcheur son trophée.

– C'est du premier choix. Chiné, mais à dominance rouge, 50 % coton, 50 % soie. 500 kg de résistance, 70 cm. Vous en voulez combien ?

– Mais deux… Je veux dire, une paire.

– Moi, j'en prendrais deux.

– Ah… Vous m'avez dit qu'ils étaient indestructibles…

– On ne sait jamais. Un défaut de machine, une défaillance humaine… Clac !… Imaginez-vous, accroché au flanc d'une paroi abrupte, une chaussure qui tombe dans le gouffre au fond duquel rugit un torrent furieux, là-bas, dans les Alpes… La nuit tombe, vous êtes seul… Vous regretteriez.

– Mais pourquoi voulez-vous que je me retrouve sur le flanc abrupt d'une montagne dans les Alpes à la nuit tombante ?

– Parce que tout le monde s'y retrouve un jour ou l'autre, croyez-moi, je connais la vie ! Alors, deux paires ? Et puis ce sont les derniers. L'usine de Modane va fermer.

– Ah bon ?

– Oui, à cause du nylon, du plastique. C'est triste mais c'est comme ça. On en fera plus, des lacets de cette qualité.

– Bon, alors je vais en prendre deux paires.

– Vous avez raison. C'est pour offrir ?

– Non…

– Je vous les emballe quand même, ils en valent la peine.

Tandis que le cordonnier enroule les lacets avec mille précautions dans un papier de soie, Gabriel se perd dans la contemplation de ces dizaines de souliers à l'étiquette pendante. *C'est encore loin ? On revient de tout. Un dernier pour la route. Trois pas en avant, deux en arrière. Une, deux, une, deux… Quatre kilomètres à pied, ça use, ça use… Où vont-ils ? Où sont-ils allés ?… D'où venaient-ils ?*

– Vous cherchez quelqu'un ?

– Oui. Quelqu'un de passage.

– Quelle pointure ?

– Je ne sais pas. Un homme, la quarantaine…

– Soigné de sa personne ?

– Pas trop. Il est de passage, je vous dis.

– Alors il passera par là. Ils passent tous chez moi, un jour ou l'autre. Ceux qui sont bien droits dans leurs bottes, celles qui se compriment les orteils dans des escarpins à la mode, tous, même les moines qui souffrent le martyre dans des sandales neuves. Je les connais tous.

Ici, c'est un peu la consigne des pas perdus, de ceux qui attendent le père Noël à côté de leurs pompes. Comment s'appelle-t-il ?

– Marco.

– Marco ?... Non, ça ne me dit rien... J'ai un Marcus, Marcus Malte. Il me fait poser des rustines sur ses baskets, vous voyez le genre, un artiste ! Mais de Marco, non, pas encore venu. Ça vous fera 24 euros 40.

Gabriel fouille dans ses poches, en tire le compte exact.

– Parfait, parfait... Vous savez, le cordonnier, c'est un peu la dernière station avant le désert. Si je le trouve votre Marco, je vous le ferai savoir. Je vous souhaite la bonne journée, monsieur.

La clochette de l'entrée émet deux notes, un *fa* et un *sol*.

Non, José ne s'est pas pendu dans la nuit. Il astique le comptoir, ou sert des expressos, le torchon sur l'épaule, dans les vapeurs du percolateur. Il est rasé, coiffé, propre comme un appartement témoin, l'œil sec, trop sec.

– Salut, Gabriel. Peut-être pas un demi à cette heure-ci ?

– Non, un café.

Chacun de ses gestes est précis, mécanique. Cet homme est en pilotage automatique. Pas sûr qu'il soit dans l'avion.

– Ça va, José ?

– Ouais, ça va. J'ai dormi dix-huit heures d'affilée, sans un rêve, sans un cauchemar, la vraie vie, quoi. Et toi ?

– Ça va.

– Alors, on va.

Au-dessus de la caisse, le panda confirme par son irréfutable présence la capacité d'être aussi bien partout que n'importe où.

– Je crois que je vais la ramener ici.

– Marie ?

– Oui. Autant qu'elle dorme dans son lit. Et puis ça me fera de l'occupation. J'ai besoin de m'occuper, je suis vide. Ça résonne là-dedans comme dans une grotte. Faut que je me remplisse. C'est ça, faut que je me remplisse…

– Et les enfants ?

– Je les ramène aussi. Au début ça va leur faire bizarre d'avoir une mère qui dort tout le temps et puis ils s'y feront. On se fait à tout, surtout les gosses. Ça sera calme.

– C'est bien le calme.

– Oui. Ça repose… Ah, dis donc, le mec qui t'a vendu le saxo, il est venu ce matin. Il te cherche. Il voudrait te voir, ici, vers midi.

– Ah… J'y serai. À tout à l'heure.

On aurait dit que le soleil s'était décroché du ciel comme un lustre pour venir s'écraser sur la terrasse. On n'y voyait plus que du blanc, la rétine éclaboussée de chaux vive. Et puis cette odeur, de merde et de viande pourrie, et ce silence que le vrombissement des mouches accentuait... Accroché des deux mains à la rambarde, il n'arrivait plus à respirer, l'air se tassait dans ses poumons, compact. Ses yeux se refusaient à voir ce qu'ils avaient vu. Des battements d'aile pareils à de minuscules éventails de dentelle noire occupaient le grand vide de sa tête. Les visages de Juliette et de Blandine, exsangues, barbouillés de sang noir, caviardés de mouches bleues, cherchant de leur regard aveugle une quelconque réponse dans les moulures du plafond. Non, on ne pouvait pas croire à ça... Ou alors on ne pourrait jamais plus croire à rien...

Le rayon de soleil tombe comme le faisceau d'un projecteur sur la mouche. Elle se débat dans une flaque collante sur le marbre de la table. Ça fait penser à un numéro de cirque raté.

– Gabriel… C'est sympa d'être venu.

Marco lui tend une main aussi froide et gluante qu'un poisson mort.

– Vous reprenez la même chose ?

– Je veux bien.

– Patron… deux autres cafés !… Oui, c'est sympa d'être venu, merci… Comment va Rita ?

– Elle vous cherche.

– Ah…

Quand il baisse la tête au-dessus de sa tasse, on peut voir qu'il se dégarnit au sommet du crâne, une tonsure précoce dévoilant une petite cicatrice en forme de demi-lune. Une chute d'enfant sans doute, pas grave. Marco a tout du type qui vient de passer la nuit dans son imper, froissé Kleenex, mal rasé, l'œil bordé de jambon, les mains rouges et les ongles sales.

– C'est la fortune qui vous met dans un état pareil ?

– J'ai dormi dans une benne. Ça sent ?

– Pas trop.

– Alors elle va bien…

– Elle s'inquiète, un peu nerveuse. Mais elle est entre de bonnes mains.

– Au 104 rue Montéléger, troisième gauche.

– Vous savez ?

– Je vous ai suivis. Vous les baisez toutes les deux ?

– Non, ni l'une ni l'autre.

– Je ne vous en voudrais pas, je ne suis pas jaloux. Je suis dans la merde, Gabriel.

– Mais votre héritage ?…

– Mon héritage !... Je ne peux pas y toucher. C'est que mon père n'est pas vraiment mort de mort naturelle, je l'ai... un peu aidé. Le soir où vous êtes venu dans notre chambre, vous vous souvenez ?... Eh bien après que vous êtes parti, je suis sorti. J'étais chargé de coke jusqu'aux yeux, pas question de fermer l'œil. Je savais que ce vieux con gardait du pognon chez lui, en liquide. Vous pensez bien que je n'allais pas me contenter du saxo. L'infirmière dormait en bas. Cric-crac, la fenêtre, je grimpe l'escalier. J'étouffais sous le bonnet et le foulard dont je m'étais masqué. J'ouvre la porte de sa chambre. Il dormait, mal, un sifflet de vieille loco. Ni une ni deux, je l'attrape par le cou et je lui flanque des claques pour qu'il me dise où est le magot. De ce trou du cul qui lui sert de bouche ne sortent que des bulles de bave dégueulasse, on comprend rien à ce qu'il dit. Normal, son dentier flottait dans le verre à dents... Le temps que je le lui refoute dans la bouche, il me glisse entre les pattes et va se cogner la nuque sur le montant du lit. Raide mort. Enfin, pas raide, mais recroquevillé sur lui-même, un poing dans la bouche, les genoux sous le menton. Il était nu comme un ver. On aurait dit un fœtus, on aurait dit moi... Je ne voulais pas le tuer, vous comprenez, Gabriel, juste le faire parler. J'arrivais plus à respirer. Je me suis assis au bord du lit et j'ai pleuré...

Marco avale son café d'un trait et fait tourner la tasse entre ses mains. Il n'y a pas d'avenir au fond.

– Mille fois j'ai pensé à le tuer, mais je ne pensais pas que ça se passerait comme ça. Je me suis senti tout vide. Je n'avais plus personne à haïr. J'étais comme un boxeur tout seul sur le ring, sans autre adversaire que moi-même, j'avais l'air d'un con, quoi. J'ai fouillé sous le matelas. Deux liasses. Il devait y en avoir d'autres mais je n'avais plus le cœur à moissonner. Je lui ai mis un coup de latte avant de partir. Encore une fois, c'est lui qui avait gagné. Et puis je suis rentré à l'hôtel. Rita ronflait. Je me suis blotti contre elle. Je voulais lui dire, mais je n'ai pas voulu la réveiller... Le lendemain, ben vous savez, on a été au restau, j'ai frimé, Rita s'est chargé la gueule si bien que j'ai cru qu'elle allait me faire une overdose. J'en avais marre, des morts. J'ai fait ma valise et j'ai été la mettre à la consigne de la gare. Je voulais aller chez le notaire et puis me casser. Sauf qu'en chemin, je me suis dit que la mort naturelle de mon père paraîtrait peut-être pas aussi naturelle pour tout le monde. Il y avait une bagnole noire garée devant chez le notaire avec quatre types dedans. J'ai tourné les talons, j'ai couru droit devant moi, longtemps, mais cette putain de ville n'est pas plus grande que l'île de Robinson, alors je me suis retrouvé à mon point de départ, à la gare. Je voyais des flics partout, même où il n'y en avait pas. Il me restait à peine un gramme de coke. J'en ai sniffé la moitié dans les chiottes. J'ai lu tout ce que les gens avaient écrit sur la porte. On aurait dit des cris. Le monde va mal, très mal !... Après, je me souviens plus très bien... J'étais comme une espèce de shaker entre les mains d'un barman épileptique. Le temps passait comme dans un film accéléré, un vieux Charlot, noir et blanc. J'ai rôdé autour de l'hôtel. Je vous ai vu rentrer et ressortir. Je vous ai suivi.

– Il fallait monter.

– J'y ai pensé mais j'ai pas osé. Je voyais vos silhouettes aller et venir devant la fenêtre... Qu'est-ce que je fais, maintenant ?

– Mais... Je ne sais pas...

– S'il vous plaît !

La main de Marco se serre sur le poignet de Gabriel comme une menotte, glacée. Il a vraiment l'air malheureux, malade. Gabriel récupère sa main.

– Je crois que vous feriez plaisir à Rita en allant la voir.

– Oui... C'est que j'ai besoin d'elle, vous comprenez ? Elle est ce qu'elle est, mais moi je ne suis pas autre chose que ce que je suis. Disons qu'on se comprend. Vous ne pourriez pas m'arranger un rancard avec elle ? Au buffet de la gare, par exemple, vers cinq heures ?

– Je lui dirai.

– Merci !... Vous êtes un type bien, vous. Bon, ben je vais m'arranger un peu, je ne peux pas me présenter dans cet état-là. Alors au buffet de la gare, cinq heures !

– Bonne chance.

Tout en marchant, il mâche sa tranche de jambon
sans pain, roulée comme une crêpe dans son papier
d'emballage. Dans la boutique il a hésité entre un
œuf en gelée, une tranche de rôti de porc et un
friand, mais quand le charcutier lui a demandé ce
qu'il désirait, il a dit : « Une tranche de jambon. »
Ça lui a paru plus simple. Ce n'est ni bon ni mauvais, neutre, un peu buvard. Avant il y avait des
buvards dans les paquets de biscottes, en général
représentant les châteaux de la Loire. Il y avait des
buvards parce qu'à l'école, on apprenait à écrire
avec une plume et de l'encre, les pleins, les déliés
et les taches. Ça lui fait un drôle d'effet de penser
qu'il a été enfant. Bien sûr, il s'en souvient, mais
comme on se rappelle un vieux film, des séquences,
sans chronologie, des détails insignifiants, un son,
une odeur, une lumière... Le nom d'un copain de
classe : Brice Soulas. Qu'est-ce qu'il a pu devenir,
Brice Soulas ?... Et les autres, les centaines, les
milliers d'autres avec lesquels on a fait un petit
bout de chemin ? Ils ne sont pas tous morts !... Il
n'y a pas si longtemps, on leur serrait la main, on

les embrassait, on pleurait, on riait avec eux, et puis soudain… portés disparus… Où vivent les autres ?

Inconsciemment, Gabriel se met à dévisager les passants avec l'espoir absurde de découvrir un visage connu. Si bien qu'au bout d'un moment il a l'impression de connaître tout le monde et, d'ailleurs, la plupart des quidams répondent au petit salut qu'il leur adresse. Où vont-ils donc ?…

– *Not before the end of this month… O.K… You are welcome.*

Madeleine repose le combiné. Elle a les yeux un peu cernés par le manque de sommeil, mais elle est souriante. Avec ses cheveux tirés en arrière et cette blouse de soie noire brodée de dragons fermée soigneusement jusqu'au ras du cou, elle fait penser à une tenancière de bordel indochinois des années trente.

– Ça va, Gabriel ?

– Oui… Petite fatigue. Je vais me reposer un peu.

– Faites-moi signe si vous avez besoin de quelque chose, c'est très calme aujourd'hui.

– Je n'y manquerai pas. Ah, j'ai retrouvé Marco, ou plutôt, c'est lui qui m'a trouvé.

– Marco, le type de Rita ?

– Oui. Il voudrait la voir. Il lui propose un rendez-vous à cinq heures au buffet de la gare.

– Il est gonflé, celui-là ! Après l'avoir plaquée comme une vieille chaussette… Qu'est-ce qu'il veut, la faire pleurer sur un quai de gare ?… Vous en avez parlé à Rita ?

132

– Non, j'ai pensé qu'on pourrait lui téléphoner, elle doit être chez vous.

– Ça ne me dit rien du tout cette histoire. Ce type est une ordure.

– Vous exagérez… Il a besoin d'elle.

– Pour lui faire faire le tapin ou autre chose dans le même genre, oui ! J'aime beaucoup Rita, c'est une chic fille. Elle a droit à une autre chance, une autre vie. Ce Marco ne lui vaut rien. Il n'est pas clair, c'est tout.

– José m'a dit la même chose de lui et il ne le connaît pas non plus.

– Mais voyons, ça crève les yeux ! Ce type est un salaud, un petit mac, un dealer qui tuerait père et mère pour sa dose. Et puis… Excusez-moi… Hôtel de la gare… pour le 9 du mois prochain ?… Oui, c'est possible. À quel nom ?… Jadis ? Comme le temps jadis ?… Ah ! avec un « y », d'accord… Au revoir monsieur Jadys.

Madeleine raccroche et se masse un moment les tempes.

– Jadys, tu parles d'un nom !… Où en étions-nous ?… Ah oui ! Je me demande si on doit lui faire passer le message… Ce type va la faire replonger.

– Ce ne serait pas très honnête. Rita a son mot à dire, vous ne croyez pas ?

– Mouais… Et si nous l'accompagnions ? Je termine à quatre heures aujourd'hui.

– Le mieux serait de le lui demander.

– Je vais l'appeler.

– Bien, je monte, à tout à l'heure.

– Blandine ?... Allô, Blandine ?... Oui, c'est moi, je t'entends très mal, ma chérie... Oui, ça va, et toi ?... et Juliette ?... Tant mieux, tant mieux. Écoute-moi, j'ai raté l'avion, je rien ai pas avant demain... Un accrochage idiot sur la route de l'aéroport avec le taxi... Non, pas grave, mais j'ai raté l'avion... Oui, c'est comme ça, on n'y peut rien. Je serai à la maison demain, enfin d'après-midi... Il fait très chaud sur la terrasse ?... Ici aussi. J'ai hâte de vous retrouver... Moi aussi je t'embrasse et Juliette aussi... Je t'aime, à demain.

En catastrophe il avait pris le premier hôtel venu, à côté de l'aéroport. C'était moche et cher, mais il ne tenait pas à retourner en ville. Ici, il avait l'impression d'être plus proche de chez lui. Sans cet abruti de camion rouge qui était venu percuter le taxi, il serait chez lui à cette heure, sur sa terrasse, en train de siroter un vin frais, avec sa femme, sa fille, ses chats. Il entendrait l'apprenti pianiste massacrer la Lettre à Élise, le bébé d'à côté pousser ses cris perçants, il regarderait au loin les bateaux aller et venir tout étoiles de lumières sur les eaux noires du port, il sentirait les odeurs de barbecue... Ils conduisaient tous comme des malades dans ce pays.

Il était descendu dîner très tôt, histoire d'en finir. Il n'y avait encore personne dans la salle du restaurant. Une brochette d'hommes d'affaires harassés trompaient leur ennui accrochés au bar en s'abreuvant de boissons alcoolisées. Ils se racontaient leurs exploits de biznessmen tout en faisant des œillades pathétiques à la serveuse qui les ignorait souverainement. Tous avaient l'air de nains sur la pointe des pieds.

Gabriel avait commandé un mezzé qu'il mâchouillait distraitement en pensant au marché qu'il ferait samedi prochain avec Blandine et Juliette. Une femme était venue s'asseoir à quelques tables de lui, la quarantaine insolente, portant sur le monde un regard dédaigneux. À peine sa commande passée du bout des lèvres, elle avait chaussé une paire de lunettes sévères et s'était plongée dans un épais dossier. Tout en annotant des pages, elle picorait dans son assiette et avalait sans regarder de petites bouchées de poisson. Soudain, elle lâcha fourchette et stylo, se mit à émettre des bruits incongrus, et à cracher dans sa serviette en portant une main à sa gorge. En moins d'une seconde elle était devenue rouge brique. Elle vida la moitié de la carafe d'eau, mais sans succès, l'arête ne passait pas, elle suffoquait. Comme il n'y avait personne pour lui porter secours, Gabriel s'était précipité.

– Mangez du pain, pas d'eau, du pain…

La dame était méconnaissable, violette, les yeux lui sortaient de la tête et fixaient Gabriel en train de façonner une boulette de mie de pain avec le regard désespéré d'une noyée. Des borborygmes incompréhensibles sortaient de sa bouche grande ouverte. Gabriel y déposa sa boulette et fit signe à la pauvre dame d'avaler. Il en fallut deux autres pour que sa pomme d'Adam se remette à fonctionner à peu près normalement. Peu à peu la panique s'estompa dans ses yeux.

– Ça va mieux ?

– *It's O.K., thank you.*

Sa voix était un peu éraillée mais elle était saine et sauve. La béatitude de ce miraculeux retour à la vie fut de courte durée. À la vue de son chemisier immaculé souillé de sauce tomate et de particules alimentaires, elle se leva d'un bond, empoigna son dossier et se rendit au pas de charge jusqu'à l'entrée du restaurant où elle se mit à incendier le manager dans une langue inconnue.

Dans l'ascenseur qui le menait à sa chambre, Gabriel riait tout seul en se promettant de raconter l'anecdote à Blandine qui raffolait de ce genre d'aventure.

Gabriel ne l'a racontée à personne. Il l'a gardée pour lui. De temps en temps, il se la repasse et s'imagine le rire de Blandine.

– Je savais que tu le retrouverais. T'es vraiment un chic type.

– C'est lui qui m'a retrouvé, je n'y suis pour rien.

Rita en est à son troisième café, sans être parvenue à se décoller les yeux. Elle dormait sur le canapé du salon, bouche ouverte, narine frémissante, une bouteille vide entre les bras, quand Madeleine et Gabriel sont arrivés.

– C'est pareil, t'es un chic type quand même… Quelle tête j'ai ?

Gabriel élude l'embarrassante question d'un geste vague de la main. Il ne peut pas lui dire qu'elle est aussi dévastée, boursouflée que l'oreiller sur lequel elle était écroulée. Madeleine fait les cent pas dans la pièce, bras croisés, maîtrisant mal sa fureur.

– T'as l'air d'un vieux Kleenex, l'air que t'avais quand ce salopard t'a plantée à l'hôtel.

– J'ai le temps de prendre une douche ?

– Oui, t'as le temps, mais je te le répète, Rita, ce type sera ta perte ! Excuse-moi, mais ça me met hors de moi de te voir accourir au premier coup de sifflet. On est une femme, on a sa dignité.

– La dignité… Faut comprendre, Madeleine, Marco a besoin de moi. C'est la seule personne qui a toujours eu besoin de moi. C'est important de se sentir utile, tu sais, même à un Marco. Je ne suis pas idiote, je le connais.

– Allez, va prendre ta douche. Mais nous t'accompagnons, c'est toujours d'accord ?

– Bien sûr, au contraire ! Vous êtes un peu comme mes témoins. C'est dingue, je suis aussi excitée qu'une jeune mariée !

Madeleine hausse les épaules en levant les yeux au ciel tandis que Rita trottine vers la salle de bains en fredonnant *la Vie en rose*. On se croirait dans une pièce de boulevard, avec des portes qui s'ouvrent, qui se ferment. Gabriel profite de cet entracte pour aller jeter un coup d'œil à la rue. Elle doit bien mener quelque part, cette rue ?… Dans une autre rue qui elle-même se déversera dans une autre rue qui…

– Des témoins !… Pour un duel, d'accord !… Qu'est-ce que vous en pensez, Gabriel ?

– Il n'y a pas de petits rôles, témoins, c'est essentiel, il en faut.

– Mais je ne vous parle pas de ça !… Je pensais à Rita. Il va l'embobiner, c'est certain, et nous, qu'est-ce qu'on fera ?… Vous la laisserez partir avec ce…

– Je crois que oui. Ils s'aiment.

– Vous appelez ça de l'amour ? Moi j'appelle ça « non-assistance à personne en danger ». Ils vont droit dans le mur.

– Et après ?

– Comment ça, « et après » ? On ne peut pas laisser les gens se noyer sans réagir !

– Pourquoi ?

– Mais… Ça ne se fait pas, voilà.

– Au fond, vous enviez Rita.

– Moi ?… Certainement pas ! Je la plains.

– Vous ne devriez pas, elle vaut beaucoup mieux.
Dites-moi, l'autre côté de votre rue donne dans
quelle autre rue ?

– Rue Chaptal. Pourquoi ?

– Je n'y suis encore jamais passé. Il faudra que
j'y aille…

Rita fonctionne comme un char russe, à la vodka et à l'irrépressible besoin de conquérir le néant. Elle en a d'ailleurs adopté la carrosserie, cuir et jean couturé de fermetures à glissière, le cheveu savamment hérissé de mèches fauves, obus pointés et souliers à chenilles.

– Mais non, Madeleine, je vais pas me jeter dans ses bras. Les excuses d'abord, après, on verra.

– Gabriel et moi on ne te quitte pas des yeux. Au moindre problème tu nous fais signe.

– Y aura pas de problème. Ça va, j'ai pas une trop sale gueule ?

Gabriel ferme la marche. Les deux femmes devant lui font penser à un attelage invincible, à une déferlante. Bientôt la gare offre de son promontoire une vision décevante du grand loin. Ses vitres à petits carreaux reflètent laborieusement un ciel crevassé de fin de journée maussade. La place n'est plus qu'un trou énorme entouré de grillages au fond duquel des excavatrices remuent la terre tandis que de petits bonshommes en casque jaune s'agitent afin de faire naître du chaos le plus beau des parkings du monde.

On dirait l'Égypte. Le buffet propose modestement son humble purgatoire aux errants de toute nature. Rita colle son nez à la vitre.

– Je le vois… Comme il a l'air triste…

– Entre la première. Gabriel et moi on va s'asseoir près de l'entrée. Te laisse pas faire !

D'où ils sont, Madeleine et Gabriel peuvent les voir de trois quarts, elle de dos, lui de biais. Même rasé et vêtu de frais, il semble en aussi piteux état que ce matin. Rita refuse dignement la main qu'il lui tend en faisant non avec la tête. Accablé, il regarde sa main abandonnée. Pour un peu il la dévisserait et la balancerait par-dessus son épaule. On n'entend pas ce qu'ils se disent mais, à le voir rentrer la tête dans le col de son manteau, on sent qu'il est prêt à tout reconnaître, à tout accepter. Il faut juste attendre que ça passe. Et ça passe. À présent, c'est Rita qui lui prend les mains et les pétrit dans les siennes. Alors il sourit et Rita se penche vers lui.

– Et voilà !… Je ne vois pas ce qu'elle lui trouve, il est moche comme un pou. Moi, je…

C'est comme un déplacement d'air qui les frôle, deux grands gaillards déterminés foncent droit sur la rangée de tables où sont assis Rita et Marco. En les voyant, celui-ci écarquille les yeux, ouvre la bouche, livide. Les deux gorilles portent des brassards rouges. Ils fondent littéralement sur eux mais, au lieu d'abattre leurs grosses mains sur l'épaule de Marco, c'est d'un autre homme assis derrière lui qu'ils s'emparent fermement. Cela ne dure que quelques secondes. Au milieu des consommateurs pétrifiés, les deux flics arrachent le type de sa banquette et l'entraînent vers la sortie tandis que Marco porte une main à son cœur avant de s'écrouler front en avant sur la table. Rita se lève et se met à hurler.

– Marco !… Marco !…

Un gros bonhomme à moustaches, curieusement habillé en tyrolien, se précipite.

– Je suis médecin.

Autour, c'est la confusion la plus totale. Des gens se lèvent, certains vont aux toilettes, d'autres en profitent pour partir sans payer et d'autres encore viennent s'agglutiner autour de Marco et Rita. Le médecin, après avoir desserré la cravate et ouvert le col de Marco lui prend le pouls en regardant sa montre sous le regard éperdu de Rita.

– Il… il est mort ?

– Non, une attaque. Il faut appeler le SAMU, c'est sérieux.

Les garçons agitent des drapeaux blancs. La guerre est finie.

– Ben merde alors !… Et où il est ?

– En réanimation à l'hôpital. Il devrait s'en sortir.

– Enfin, ça prouve qu'il a un cœur.

José inspecte méticuleusement le zinc du comptoir qu'il vient d'astiquer. Une tache quasiment invisible retient son attention. Il s'y attaque avec un coin de torchon.

– Ça ne s'en va pas cette saloperie !

– Qu'est-ce que c'est ?

– On dirait de la colle…

– Ça ne se voit pas beaucoup.

– Moi, je la vois… Au fait, je vais chercher les enfants demain. Françoise va habiter avec nous quelque temps, pour aider.

– Et Marie ?

– Quand tout sera prêt, à la fin de la semaine, peut-être. Faut plus que je reste tout seul, je suis en mauvaise compagnie… Mais c'est quoi, ce truc !

Il tire un canif de sa poche et s'emploie à décoller l'infime particule translucide dont la vue lui est devenue insupportable.

– Ça y est !… On dirait un verre de contact…

143

Il tend sous le nez de Gabriel le bout de son index chapeauté d'une goutte luisante.

– Oui, c'est bien un verre de contact.

– Sur un bar… Je vais le ranger au cas où le propriétaire viendrait le réclamer.

En quête d'une boîte d'allumettes pour y conserver la prothèse, José farfouille dans un tiroir de la caisse, sous l'œil bienveillant du panda qui persiste à considérer le monde avec le même enthousiasme. Gabriel a constaté qu'à chaque fois que José passait à proximité de la peluche, il ne manquait pas de lui toucher une patte, ou le ventre, ou le museau. Saint Panda ?…

– Qu'est-ce que tu fais ce soir, José ?

– Rien, évidemment.

– Je vais préparer un petit dîner chez Madeleine. Rita a besoin de se changer les idées. Tu veux te joindre à nous ?

– Non, c'est gentil, mais je ne suis pas d'humeur.

– Y a pas de mal à se faire du bien.

– Je sais mais… Elle est très malheureuse, Rita ?

– Assez, oui.

– Ah…

Perplexe, José frotte ses joues abrasives en lorgnant le panda. Dans le malheur, faut se serrer les coudes.

– Bon, d'accord. C'est où ?

– À deux pas d'ici, 104 rue Montéléger, troisième gauche. Dis donc, tu connais une épicerie italienne dans le coin ?

– Il y a le Stromboli, c'est un restaurant mais ils vendent aussi des spécialités à emporter. Rue Chaptal.

144

Si la rue Chaptal est aveugle, c'est qu'elle en a vu d'autres. Des stigmates de commerces aujourd'hui disparus subsistent tout au long de son étirement : marchand de couleurs, boucherie chevaline, mercerie… aux enseignes rouillées, aux lettres effacées. À part la guirlande d'ampoules multicolores qui encadre la vitrine du Stromboli, aucune lumière.

– Si c'est pour dîner, c'est trop tôt.

– Non, je voudrais juste acheter quelques bricoles, des pâtes fraîches…

À regret, la femme, qui s'exprime avec un fort accent teuton, insère un marque-page dans le volume d'*Also Sprach Zarathustra* et déplie son mètre quatre-vingts. Ses cheveux platine coupés au carré lui font un casque dont la frange tombe sur un regard bleu acier.

– Quelle sorte de pâtes fraîches ?

– Des tagliatelles.

– Pour combien de personnes ?

– Quatre.

Après avoir enfilé une paire de gants de chirurgien, elle remplit un sachet en papier de pâtes qui, curieusement, entre ses doigts puissants, ressemblent à de la choucroute.

– Ensuite ?

– Du jambon de Parme, une vingtaine de tranches très fines.

Le jambon à peine entamé semble ne rien peser entre ses mains. Les vingt tranches s'empilent dans le sifflement inquiétant du tranchoir électrique.

– Ensuite ?

– Un pot de pesto, un paquet de gressins, et puis…
je prendrais bien des antipasti, artichauts à l'huile,
poivrons confits… Excusez-moi, mais je deviens un
peu fou quand j'entre dans une épicerie italienne,
j'ai envie de tout.

– Je sais, c'est exactement ce qui m'est arrivé il y
a dix ans.

Tout en lui faisant goûter chaque produit avant
d'en remplir une barquette, elle explique.

– J'étais en voyage d'études à Florence, architec-
ture. Il y avait une petite boutique en bas de mon
hôtel, sale, obscure, dégageant une haleine d'épices,
de fromages et de salaisons. Ça sentait l'homme.
J'ai résisté quatre jours avant d'oser pénétrer dans
cet antre infernal, de céder à la tentation. L'homme
qui m'a coupé les cinq tranches de coppa s'appelait
Adamo et bien évidemment, il était beau. Tout
comme le mien, son père était mort et fasciste, nous
étions faits pour nous entendre. Adamo voulait voir
du pays, j'avais un peu de biens, et voilà… Ça sera
tout ?

– Avez-vous du Lacrima-Christi ?

– Oui.

– Alors j'en prendrai deux bouteilles. C'est une
bien belle histoire que la vôtre ! Mais pourquoi vous
êtes-vous installés ici ?

– Nous voulions partir loin. Ici, c'est loin.

– Et vous vous y plaisez ?

– Non. Mais : « Ce qui ne me tue pas me rend plus
fort » ; Nietzsche, page 115.

– C'est très vrai. Bien, vous féliciterez le cuisinier, les antipasti sont délicieux.

146

Aussitôt elle appuie sur un bouton et d'un haut-parleur crachotant parvient une voix lointaine :

– *Prego ?*…

– Adamo, c'est un client qui te félicite pour tes antipasti !

– *Grazie ! Grazie mille, grazie tanti, grazie mille, graz…*

– Ça va, ça va. Bonne soirée, monsieur.

– Bonne soirée.

En sortant de la boutique, Gabriel est convaincu que la voix grésillante du haut-parleur était enregistrée, un disque rayé sur « *Grazie, grazie mille…* ».

Ça ne vient pas et pourtant il en a envie. Pisser, juste pisser, ce n'est quand même pas sorcier, même un nouveau-né sait ça d'instinct. Mais ça ne vient pas. Cet appendice qui sort de sa braguette va finir par ne plus lui servir à rien du tout. Il n'a pas l'air en mauvais état, ni trop long ni trop court, la peau soyeuse, le gland bien tourné, excellente prise en main, nul bouton, nulle atrophie. Devant lui, l'espèce de pélican de faïence blanche, bec ouvert, attend patiemment le bon vouloir de ce machin frappé momentanément d'amnésie. De l'autre côté de la porte il entend les autres discuter, des cliquetis de couverts, de verres, sur fond de musique douce. La vie sans lui n'a rien d'inconcevable. À cet instant précis, seul le poisson-lune, carte postale punaisée sur le mur au-dessus de la chasse d'eau peut témoigner de sa réalité. C'est déjà trop. La bestiole gonflée à bloc, hérissée de piquants lui rappelle sa vessie.

— Bon, alors, on se décide ?

Agacé, il la secoue en tous sens mais convient avec raison qu'on n'obtient rien par la force : « Plus tu désires cette chose et plus de toi s'éloigne cette chose. »

Très bien, faire comme si on était là pour une toute autre affaire, pour étudier la morphologie du poisson-lune, par exemple, ou pour tester la qualité du papier-toilette. Bonne marque, épais et doux. Compter les carreaux de céramique sur le sol ; vingt, dont deux biseautés aux angles. La traversée de l'éternité promet d'être passionnante.

– Bon, ça va, y en amarre.

Déçu, il remballe tout et tire la chasse pour le principe. C'est alors que le bruit de la cataracte lui provoque une contraction dans le bas-ventre et que tout est à recommencer dans une urgence accrue.

– Ça ne va pas, Gabriel, tu es malade ?

– Non, j'arrive tout de suite.

Il ne reste plus une olive, plus une pâte au fond des assiettes. Ils avaient faim. Malgré la peine, la douleur, ils avaient faim. Les deux bouteilles de Lacrima-Christi sont vides. Heureusement, José avait apporté deux autres bouteilles de vin. Rita et lui s'entendent à merveille. Chacun peut s'épancher sur l'épaule de l'autre. Les malheureux font tous partie d'une même grande et belle famille. Elle lui a montré sa photo au coquelicot blanc et lui celle de sa petite famille au temps où c'était le temps d'avant…

Madeleine les regarde, attendrie, la joue dans la paume de sa main, le coude reposant sur son genou. Dans quelles eaux nage-t-elle ? À quelle profondeur ?…

Il faudrait que tout s'arrête là, maintenant, quand tout est bien, pour toujours. Gabriel voudrait pouvoir les convaincre d'en rester là, de ne plus faire un geste, dire un mot. Parce qu'il sait, lui, il sait. Il a déjà vécu un instant semblable, ce jour de chaleur, les volets clos, Blandine abandonnée dans sa sieste, les chats à ses pieds, la mouche au plafond, Juliette, là-haut dans son hamac, le pianiste, les cris du nourrisson, le sifflet du ferry, l'odeur de barbecue, des écorces de melon… Mais ce jour-là, il ne savait pas qu'il savait. Il n'aurait jamais dû partir le lendemain. Le premier qui va bouger va rompre le charme, leur bulle ne sera plus étanche.

– Gabriel, ho, Gabriel ?… T'es avec nous ? Je leur racontais l'arrivée du panda.

– Oui, le panda…

Ils ont déjà des souvenirs en commun, des bons et des mauvais, comme dans la vie. Rita a rajeuni, quelque chose d'enfantin dans le regard, comme si toutes ces larmes versées l'avaient lavée à l'intérieur.

– C'est marrant, on dirait que vous vous connaissez depuis l'école.

– À quelques centaines de kilomètres près, ça aurait pu se faire. Cela dit, quand je vous ai vues arriver dans mon restau, l'autre soir, Madeleine et toi, j'ai cru que vous étiez sœurs.

– Ça, ça n'aurait pas pu se faire. Je n'ai jamais pu blairer mes frères et sœurs. Enfin, ça fait rien, on est là, ensemble, maintenant. On a la famille qu'on mérite.

Gabriel cligne plusieurs fois les yeux : allumés, éteints, allumés, éteints... À force, on peut se trouver un air de famille avec n'importe qui, une sorte de portrait-robot de l'ami Ricoré.

Quand on lui avait montré les coupables, Gabriel avait été frappé par leur jeunesse. L'un avait seize ans, l'autre dix-sept. Des visages d'enfants qui s'ennuient à l'école écoutant d'une oreille distraite l'énoncé d'un problème qui ne semble pas les concerner. Sans doute pensaient-ils au match de foot que l'audience devant le juge leur faisait rater. Dès leur arrestation, ils avaient tout avoué, tout reconnu. Une connerie. Pas de leur faute si on leur avait mal indiqué l'appartement à cambrioler. Ils s'étaient trompés de porte, ça arrive, non ? Et puis ils étaient très défoncés, il était tard. Les cris de la femme et de la petite leur avaient fait peur, voilà. Ils regrettaient, ils ne le referaient plus, promis, juré. Leur passé tenait dans une poubelle de table, leur présent dans l'écran d'une télé, et leur avenir dans le score des Bleus contre l'Italie. Ils étaient d'accord pour payer le prix de leur erreur de jeunesse, quinze ans, avec une remise de peine, dix ans, ils seraient encore jeunes en sortant. Le temps passé d'un côté ou de l'autre du mur ne faisait pas une grosse différence. Avec leur crâne rasé, leurs oreilles décollées, leur survêtement neuf et leurs baskets, on aurait dit de jeunes sportifs s'excusant d'une malencontreuse défaite : « On tâchera défaire mieux la prochaine fois. »

Gabriel avait beau se forcer, il n'arrivait pas à leur en vouloir. Même avant de les rencontrer, même avant de savoir qui, l'énormité de l'acte l'avait anesthésié de toutes considérations de bien ou de mal. C'était comme une sorte de catastrophe naturelle, une éruption volcanique, un tsunami, un glissement de terrain, quelque chose qui dépasse l'entendement. Son avocat, ses proches semblaient étonnés, pour ne pas dire consternés, par son manque de combativité. Ils auraient souhaité un minimum de haine, d'esprit de vengeance, mais Gabriel en était totalement dépourvu. Même en faisant des efforts, il ne se voyait pas en train d'énucléer avec ses pouces les yeux vides des tortionnaires de sa famille. Curieusement, il se sentait plus en phase avec eux qu'avec ses alliés car, tout comme lui, ils faisaient partie d'un ailleurs inaccessible où le bien et le mal n'existent pas. Sans doute aurait-il préféré regarder la finale de foot en leur compagnie. Lui non plus n'avait rien à dire. Le coupable, le vrai, courait toujours et celui-là, qui n'avait pas de nom, pas de forme et que l'humanité invoquait chaque jour, ne serait jamais inquiété.

Une clameur était montée de la cour du palais de justice. La France menait un à zéro. Avocats, assassins, victimes et juges applaudirent dans leur tête.

José a beaucoup bu, mais, même s'il peine à s'extirper du canapé, il se tient à présent droit sur ses jambes.

– Faut que je rentre, je me lève tôt demain.

Demain... Madeleine refait surface, Rita se frotte les yeux, Gabriel baisse la tête.

Rita vide le fond d'une bouteille dans son verre et l'avale d'un trait.

– Alors c'est fini ?

José rougit, comme pris en faute. Il cherche partout autour de lui quelque chose à quoi se raccrocher mais ne trouve rien. Il doit se sentir coupable. Judas n'est pas un rôle facile. Il regarde ses pieds comme s'il était chaussé de plomb.

– Les meilleures choses ont une fin.

– Pourquoi ?

– Parce que sinon, on ne saurait pas que c'est les meilleures. Et puis c'est comme ça, on n'y peut rien.

Rita se laisse tomber dans le canapé en soupirant, un bras sur les yeux. Madeleine se met à débarrasser convulsivement la table. Gabriel se lève et tend la main à José qui s'en empare comme d'une bouée.

– Ben quoi, c'est la vie, non ?

– C'est la vie. Salut, José. Dis-moi, je peux t'accompagner demain ?

– Si tu veux. On se tassera.

Madeleine lui tend une joue de poisson-lune sans piquant. Rita ne bouge pas du canapé. Elle dort ou fait semblant. José hésite à se pencher sur elle pour l'embrasser. Il y renonce.

– Bon, alors à demain.

– Bonne nuit, José.

Tandis que Madeleine vide les cendriers pleins de rêves, Gabriel ouvre la fenêtre. L'âme de la soirée s'échappe en volutes et se dissout dans le rectangle de velours noir qu'une bruine très fine vaporise. Madeleine le rejoint.

– J'ai trop bu.

Tous deux ont posé le pied sur le rebord de la fenêtre, on les croirait accoudés au bastingage d'un navire en partance. La rue est tranquille.

– Gabriel, vous avez déjà été heureux ?

– Oui, une fois. Ça m'a fait très peur.

– Pourquoi ?

– Parce que c'était la dernière.

– Je me demande si je dois vous envier ou vous plaindre.

– Ni l'un ni l'autre.

– Vous allez partir, n'est-ce pas ?

– Sans doute, comme tout le monde.

– Où ?

– Je ne sais pas. Pour un endroit comme ici, probablement.

– Alors pourquoi ne pas rester ?

– Ce n'est pas moi qui décide.

Sur le trottoir d'en face, un aveugle passe. Sans le tac-tac de sa canne blanche on ne le verrait pas. C'est une ombre sonore.

– Et celui-là, il sait où il va ?

– Certainement. La nuit, l'aveugle est chez lui.

– Ce soir, tout le monde était heureux, José, Rita, mais vous… Qu'est-ce qui vous empêche d'être heureux ?

– Je ne suis pas malheureux.

– Je vous aime, Gabriel, c'est tout bête mais c'est comme ça.

L'aveugle a tourné au coin de la rue. On entend

encore un peu le son de sa canne, puis plus rien. La ville est calme, ruisselle de rêves dans lesquels chacun est un héros. Il faut dormir, dormir…

– Je vais rentrer, Madeleine, il est tard.

Jamais elle n'a été plus belle, bien plus belle que son géranium.

– C'est un beau fusil que vous avez là, Françoise.
– C'était à mon mari. Un fameux chasseur. Je l'entretiens régulièrement, il est en parfait état, comme du temps de son vivant.

La fillette ressemble à une fraise des bois après le passage d'un éléphant. Sa petite main est encore crispée sur le saxophone avec lequel elle vient d'interpréter pour Gabriel *Au clair de la lune* sur un tempo un peu trop rapide mais sans fausse note. À côté, son frère semble dormir, assis à angle droit contre le mur, bras ballants, jambes tendues, le menton reposant sur sa poitrine au milieu de laquelle la décharge de chevrotines a creusé un trou de la grosseur d'une orange. Françoise gît dans le couloir à un mètre de la porte. Elle n'a plus de visage, comme si on lui avait violemment arraché un masque. Au bas des marches, José, à plat dos, bras en croix, bouche ouverte, une expression de profond étonnement dans les yeux. L'écho de la dernière détonation flotte encore dans la cage d'escalier. Il était à mi-chemin quand il a aperçu Gabriel sur le palier, le fusil à la main.

– Gabriel ?… Qu'est-ce que…

Il s'est littéralement envolé sous la puissance de l'impact.

Gabriel enjambe son corps, dépose le fusil sur la table de la cuisine et va se remplir un grand verre d'eau au robinet de l'évier. L'odeur de la poudre lui a desséché la bouche. Tout s'est passé très vite, deux minutes à peine… On ne survit pas au bonheur, c'est une fatalité. Sitôt qu'on l'a entraperçu, la porte se referme et on passe sa vie à le regretter amèrement. Il n'y a pas de pire purgatoire. Personne n'est mieux placé que Gabriel pour le savoir. Le carillon Westminster enfonce onze clous dans son cadran comme pour fixer l'instant à tout jamais. Il se sent vide, creux, les os, les artères, comme si tout ce sang versé était le sien. Il a faim, envie d'une bière. C'est ce qu'avaient fait les deux gamins après avoir dévasté sa famille, ils avaient pillé le frigo et bu des bières. Ce doit être une réaction normale. Les bagages abandonnés ponctuent son chemin jusqu'à la voiture.

C'est toujours pareil avec l'horizon, on ne sait jamais où il finit vraiment. Il doit y avoir un trou, c'est ça, un gouffre sans fond. Le ciel est bien forcé de faire le jour mais on sent qu'il n'en a pas particulièrement envie. C'est un ciel de : « Vivement ce soir qu'on se couche. » Gabriel se gare sur le bas-côté de la route, un besoin pressant. Son jet d'urine balaie les herbes folles, des plantes sans nom, increvables. Une fois par an elles produisent des fleurs rachitiques et sans charme et des graines qui leur permettent de se reproduire, pour rien. Elles ne sont pas comestibles et ne feront jamais de jolis bouquets. À l'instar de l'humanité, une grande partie de la création est totalement inutile. Ce sont pourtant ces espèces-là les plus résistantes, on peut leur pisser dessus à l'infini.

Tandis qu'il referme sa braguette, son regard se perd dans la touffe de ronciers qui lui fait face. Cet enchevêtrement de branches barbelées fait preuve, malgré l'apparente confusion, d'une logique architecturale implacable. Si cette tige s'enroule trois fois autour de cette autre c'est qu'elle a une bonne raison, rien n'est laissé au hasard, tout est nécessité. Fascinant. Le vent glacé lui souffle au visage une haleine fétide. Gabriel se sent las. Il monte dans la voiture, bascule le siège en arrière et allume la radio. Un humoriste raconte une histoire idiote mais qui le fait rire. C'est l'histoire d'un type…

La place que José occupait ce matin à côté du Faro est toujours libre. Gabriel se gare, coupe le moteur, ferme les yeux. Il se souvient de la grande brasserie en bas du boulevard, là où les deux jeunes biznessmen évoquaient leur problème de biberons et de tétines incompatibles. Une choucroute, voilà ce dont il a besoin, d'une bonne choucroute.

– Qu'est-ce que tu fais, Rita ?

– Tu vois, je me fais cuire un œuf.

Elle a le visage bouffi, le survêtement avachi, la pantoufle traînante. Bras croisés devant la cuisinière, elle surveille d'un regard bovin la cuisson d'un œuf dansant dans les remous d'une casserole d'eau bouillante. Tout semble trop grand pour elle, sa peau, ses vêtements, sa vie. La petite fille au coquelicot blanc est à nouveau recluse dans le portefeuille au fond du sac. Elle a le même air résigné que José, ce matin, en allant chercher ses enfants, le cou tendu vers le joug d'une existence écrite et réglée d'avance. Une tête de « Comme un lundi », de « Quand faut y aller, faut y aller ».

– José m'a prêté sa voiture. Je me suis dit que je pourrais t'accompagner à l'hôpital ?

– Ouais… Si tu veux.

– Tu ne devais pas aller à l'hôpital, aujourd'hui ?

– Si… si. Je mange mon œuf et on y va. Le café est encore chaud, sers-toi.

La vaisselle de la veille est faite. Elle s'amoncelle en une audacieuse structure dans l'égouttoir. Face

159

à Gabriel, Rita écale lentement son œuf et une fois débarrassé de sa coquille, le considère longuement avant de mordre dedans. Le café est tiède.

– Quelle heure il est ?

– 15 h 20.

– J'ai pas fermé l'œil de la nuit. Ça va, José, les gosses, la grand-mère ?

– Ça va.

– Tant mieux. Il est sympa, José. Pas compliqué… Ne demande pas la lune… Enfin, ça tombe où ça veut.

– Tu as des nouvelles de Marco ?

– J'ai téléphoné à l'hôpital. Ils n'ont pas voulu me donner de détails. Il est pas mort, quoi. Bon, je m'habille et on y va.

– Tu as du jaune d'œuf au coin de la bouche.

– Ah… merci.

Au sortir de la ville, entre les boucles d'échangeurs, poussent des entrepôts, surfaces de ventes de n'importe quoi, surchargés d'enseignes, de sigles, de flèches gigantesques indiquant : « C'est là ! C'est ici ! » Mais on ne sait par quel chemin y accéder. Un des essuie-glaces grince. C'est agaçant.

– Arrête-toi à la cafét', là-bas. Faut que je boive quelque chose avant l'hosto.

Dans la cafétéria de l'hypermarché, les gens vont et viennent mais on dirait que c'est toujours la même personne, plus ou moins bien grimée, avec moustaches, lunettes, postiche ou crâne rasé… Rita en est à son troisième demi. Elle ne parle pas, fume, se ronge un ongle, le regard flottant sur l'espèce de piscine qui fait office de parking.

– Tu es anxieuse, Rita ?

– Non... non, même pas. J'ai plus envie de pédaler pour rien. J'ai l'impression d'avoir fait du vélo d'appartement toute ma vie. José, lui, il a ses gosses, une famille...

– Toi tu as Marco.

– Oui, à moins que ce ne soit l'inverse. J'ai bien fait la pute pour lui, je peux bien faire l'infirmière !... Le bonheur, quand ça veut pas, ça veut pas. Enfin, on était bien hier soir, non ?

– Oui, on était bien.

– C'est toujours ça de pris. On peut y aller maintenant.

Il n'y a guère de différence entre l'hôpital et le centre commercial. Tous deux sont probablement issus du cerveau cubique d'un même architecte. Les brancards remplacent les chariots et les humains les denrées. Ici aussi les affaires marchent bien, Gabriel a du mal à trouver une place pour se garer. Rita s'agite sur son siège.

– On se tire, Gabriel, on se tire.

– Attends, je vais trouver une place... Tiens, là-bas !

– On se casse, je te dis !... Je ne veux pas foutre les pieds là-dedans ! Foutons le camp !

– Comme tu veux... Où veux-tu aller ?

– N'importe où, je m'en fous, roule.

Elle a les joues rouges, vernissées de larmes. Elle les laisse couler sans les essuyer, renifle à petits coups, la lèvre inférieure gonflée en une moue de dégoût. Gabriel conduit au hasard, tourne à droite, à gauche, sans raison. Ils traversent un lotissement de petits pavillons neufs, identiques, comme décalqués à l'infini. Ensuite viennent les champs, plats, parfois hérissés d'une futaie d'arbres nus. Les larmes de Rita se sont taries d'elles-mêmes. Elle a retrouvé une respiration normale, se tamponne les yeux, se mouche.

– Excuse-moi, Gabriel, mais je n'ai pas pu.

– Tu n'as pas à t'excuser.

– Tu pourras t'arrêter dans le bois, là-bas, j'ai envie de pisser… la bière…

Gabriel s'engage dans un chemin creux labouré d'ornières, et coupe le moteur. Rita se précipite à l'extérieur. Derrière le pare-brise ruisselant il la voit s'enfoncer dans le sous-bois en levant haut les genoux puis disparaître soudain dans un fourré. Un jour, il avait emmené Juliette à la montagne pour observer les marmottes. Mais à chaque fois qu'il lui en indiquait une pointant le nez, l'animal sautait dans son trou avant que la petite ne l'aperçoive si bien qu'elle n'en avait vu aucune et était rentrée persuadée que son père lui avait fait une blague. Pour elle, les marmottes n'avaient jamais existé.

Inconsciemment, Gabriel s'est mis à jouer avec un des lacets achetés chez le cordonnier. Il l'enroule autour de sa main, en teste la résistance en tirant dessus à petits coups. La pluie tambourine sur le toit. Rita s'engouffre dans la voiture, les cheveux collés au front.

– Putain, saloperie de gadoue ! Je me suis torpillé les godasses. J'en ai jusqu'aux genoux. Fait chier, la campagne !

162

Elle se frotte les cheveux, renverse la nuque sur l'appuie-tête, ferme les yeux en soupirant.

– Bon Dieu que ça fait du bien de pisser quand on a envie de pisser !… C'est agréable d'écouter la pluie tomber quand on est à l'abri…

Rita n'est pas aussi lourde qu'il le pensait. Mais ces ronces qui s'accrochent à ses vêtements, cette boue sur laquelle il dérape… Voilà, c'est à peu près là qu'il l'a vue se baisser. Son visage est calme, apaisé, la pluie lave ce que les larmes avaient laissé de maquillage. Elle ne s'est pas débattue quand Gabriel s'est penché sur elle. Peut-être a-t-elle cru qu'il voulait l'embrasser ? Ce n'est que par réflexe qu'elle a tendu bras et jambes quand le lacet s'est enroulé autour de son cou.

– … Je ne sortais plus de chez moi. Je ne répondais plus au téléphone, ni au courrier, ni aux coups de sonnette. Je passais mes journées allongé sur la terrasse à regarder le ciel… toujours aussi bleu… un bleu à vous faire perdre la tête. Et puis un jour, je me suis levé de mon transat et j'ai claqué la porte derrière moi. Je suis parti avec pour tout bagage ce que je portais sur le dos. J'ai dû prendre le ferry, puis un train… Je ne sais pas, probablement… Une fois la porte refermée je ne me souviens plus très bien… Il n'y avait plus de jour ni de nuit. Je dormais n'importe où, n'importe quand. Je m'oubliais un peu plus chaque jour, je m'éparpillais dans les rues de Paris. Ç'aurait pu être ailleurs, mais c'était Paris. Peut-être parce que j'y suis né et que c'était une façon de revenir à la case départ, ou bien tout simplement à cause de la foule. Il faisait froid. Quand je ne dormais pas, abruti par le vin, je marchais jusqu'à en être halluciné. Comme ça, tous les jours, toujours le même jour. Je ne sentais plus rien qu'une immense fatigue et c'est tout ce que je désirais. Une nuit on m'a ramassé à moitié gelé sur un trottoir. Je me suis réveillé à l'hôpital. Je ne sais pas trop comment mais des amis ont été prévenus. Je leur ai demandé de vendre tout ce que je possédais, la maison, la voiture, tout et de ne plus chercher à me revoir. Je ne voulais plus retourner là-bas, jamais. Après l'hôpital il y a eu la maison de repos, j'y suis resté des semaines, des mois... Jusqu'au jour où l'envie m'a pris d'aller voir la mer. Mes yeux butaient constamment sur des murs, ils avaient besoin d'espace, de loin... J'ai sauté dans le premier train pour Brest. Ne me demandez pas pourquoi je suis descendu ici, je serais incapable de vous répondre. J'étouffais dans ce wagon, j'avais besoin de prendre l'air. Voilà, c'est tout.

Les phares des voitures venant en sens inverse éclairent sporadiquement le profil de Madeleine assise à côté de Gabriel. Depuis qu'il a commencé à lui raconter son histoire, elle s'est lentement statufiée jusqu'à prendre l'apparence laiteuse et translucide de l'albâtre.

– Pourquoi vous me dites tout ça maintenant ?

– Parce que nous sommes seuls, dans une voiture, la nuit. Dites-moi si vous voulez qu'on s'arrête, pour manger ou boire quelque chose.

– Non. Je suis trop bouleversée. Rita, José, vous... Toutes ces vies gâchées... Et moi, au milieu de tout ça, qui passe sans m'apercevoir de rien...

– Je suis désolé, je n'aurais pas dû.

– Mais si ! Ça fait toujours du bien de se confier.

– Je ne sais pas. Je n'en ai jamais parlé à personne. Mais je ne souffre plus, vous savez, c'est juste le mal des autres qui me fait mal. J'aimerais tant pouvoir les soulager.

– Vous le faites très bien. Vous avez été très bon pour José, pour Rita…

– Mais pas assez pour vous ?

– Oh, moi, c'est autre chose. Je n'ai jamais connu ni grande joie ni grande peine. Juste l'ennui… On s'y fait. Je suis si heureuse de vous avoir rencontré, d'être avec vous, dans cette voiture, ce soir…

– C'est une chance que vous ayez pu vous libérer pour deux jours.

– Mon patron me devait bien ça. Tant de congés à récupérer !… Mais que vouliez-vous que j'en fasse ?… Ça n'a pas posé de problème. C'est sympa aussi de la part de José de vous avoir prêté la voiture.

– C'est lui qui me l'a proposé. Il m'a dit : « Tu t'occupes trop de moi, de Rita, mais pas assez de Madeleine. Prends la voiture et emmène-la voir la mer. »

– Une bonne idée !… Seulement, je m'inquiète un peu pour Rita.

– Il ne faut pas. En lisant le petit mot que vous lui avez laissé, elle comprendra. Elle était très calme, très sereine quand je l'ai déposée à l'hôpital.

– Alors nous pouvons avoir la conscience tranquille ?

– Absolument. Quelle heure est-il ?

– 20 h 17.

– Nous serons à Roscoff dans une demi-heure. J'espère que nous trouverons un restaurant ouvert.

– Une crêperie, certainement.

– Tant mieux, j'ai faim. Nous arrivons à Morlaix.

Les panneaux se succèdent dans le faisceau des phares : « Saint-Martin-des-Champs, Sainte-Sève, Taulé, Saint-Pol-de-Léon… ». Ce ne sont que des indications. Rien ne prouve que ces lieux existent vraiment. La nuit, ces bourgs, ces villages se dissolvent comme le sucre dans le café. On les traverse sans les voir et on les oublie aussitôt : une rue principale, un monument aux morts, une mairie, une poste, une église, un cimetière et c'est fini, on passe à un autre.

– Pourquoi l'île de Batz, Gabriel ?

– Parce qu'on peut en faire le tour à pied en une matinée.

– Gabriel, regarde, un coquillage énorme !!!…

Blandine courait vers lui en tenant quelque chose dans sa main qui ressemblait de loin à une tête de mort. Son ciré jaune était la seule tache de couleur vive dans ce paysage gris nacré. Il avait peur qu'elle glisse sur les rochers couverts d'algues vertes et brunes. Comme le vent dispersait sa voix, il lui faisait signe avec sa main d'aller doucement. Mais elle n'en tenait pas compte, elle rebondissait de flaque en flaque dans ses bottes de caoutchouc trop grandes qu'on lui avait prêtées à l'hôtel. Emportée par son élan elle l'avait fait rouler dans le sable en se jetant dans ses bras. Elle sentait le vent, le sel. Le coquillage ressemblait à une grande oreille. Elle l'avait posé contre la sienne, puis sur celle de Gabriel et enfin sur son ventre déjà rond.

– Écoute ça, ma petite Juliette, c'est la mer de

Bretagne. Ton papa et ta maman sont devant, tu veux lui dire un mot ?… Je te la passe.

La mer s'était contentée d'un vague grognement. Elle était bougonne ce jour-là. Le crachin faisait glisser leurs bouches.

– Mon chéri, invente nous une île, s'il te plaît, mais au soleil !

Il l'avait fait.

Il faisait encore nuit lorsqu'ils ont quitté l'hôtel. À part le vent, il n'y avait personne dans les rues et peu de lumières allumées, celle d'une boulangerie dans laquelle ils ont acheté des croissants et l'enseigne lumineuse d'un bar à côté de l'embarcadère où ils se sont réfugiés alors que la pluie cinglait les façades austères des maisons aveugles. Madeleine tourne son chocolat en rêvant, le visage imprégné d'une béatitude de panda. Gabriel mâche son croissant en regardant les gouttes se courser sur la vitre noire. En dehors du patron : un grand rouquin moustachu s'exprimant avec un fort accent anglais ; une vieille dame, très digne, cheveux blancs soigneusement coiffés en un impeccable chignon, tailleur de tweed et bottillons fourrés. Elle sirote une tasse de thé en fixant d'un regard absent l'armée de bouteilles alignées au-dessus du bar. Parfois elle échange avec John, le patron, quelques banalités sur le temps ou sur des personnes inconnues. Il flotte une odeur de chambre close, de couette douillette, de café du matin.

– Gabriel ?

– Oui ?

– … Rien, je suis bien.

Madeleine pose sa main sur la sienne. Elle a dit ça sans sourire, comme s'il s'agissait de quelque chose de grave, de solennel.

– Moi aussi.

– Tu ne regrettes pas ?

– Quoi ?

– Nous deux, cette nuit…

– Pas du tout, au contraire. Je me suis peut-être montré maladroit ?… Il y avait si longtemps…

– Même si on ne l'avait pas fait, c'aurait été merveilleux.

Après la crêperie, où ils avaient mangé d'excellentes crêpes aux fruits de mer, ils étaient rentrés à l'hôtel. L'un après l'autre, ils avaient pris une douche puis, allongés sur le lit, s'étaient délectés d'un jeu idiot à la télé. On aurait pu croire qu'ils vivaient ensemble depuis des années. Enfin, ils avaient éteint la lumière et avaient fait l'amour le plus simplement du monde, sans chercher la prouesse, avec toute la gaucherie des amoureux timides.

– Ah, voilà le bateau.

Du doigt, John désigne la silhouette trapue d'un bateau arrivant de Batz, pas plus gros qu'une noix, dans les premières lueurs de l'aube. La vieille dame se lève, enfile un long ciré vert et se coiffe d'un chapeau de pluie. Elle n'est pas bien grande, mais à cause de l'immobilité de son regard elle semble dominer tout ce qui l'entoure. On dirait un phare.

Sur la jetée qui mène au bateau, c'est à peine si on

peut tenir debout. Le vent charge comme un bélier. La vieille dame marche devant eux, tête droite, indifférente. Deux hommes d'équipage les aident à monter sur le pont. Les trois passagers s'installent à l'intérieur sur des bancs de bois comme à l'école, genoux serrés, bras croisés. La houle les fait parfois se heurter, épaule contre épaule.

Sous le ciel bas strié de traînées laiteuses, Batz découvre une épaule comme émergeant du fond d'un encrier. La traversée n'a duré qu'une quinzaine de minutes mais longtemps après avoir posé le pied sur la terre ferme, le tangage du bateau persiste dans les jambes.

– Par où va-t-on, à gauche ou à droite ?

– Peu importe. Une île, c'est comme un béret, ça n'a pas de sens.

– Alors à gauche.

– Pourquoi ?

– Comme on écrit, de gauche à droite. Pour moi, aujourd'hui est une page blanche.

Il n'y a pas vraiment de villages, juste des grappes de maisons, des lieux-dits – Kenekaou, Porz Kloz… séparés les uns des autres par des criques, des dunes, des landes, des champs. En une demi-heure ils atteignent la pointe est de l'île et pénètrent dans un jardin botanique. C'est une île dans l'île, une parenthèse exotique où les palmiers poussent comme chez eux. Un rayon de soleil perçant entre les nuages donne un coup de projecteur sur les feuilles luisantes des caoutchoucs, yuccas et autres plantes aux noms imprononçables. Une hirondelle de mer vient se poser sur une palme devant Madeleine.

– C'est dingue !… C'est le paradis… C'est ça, c'est le paradis…

– Oui, tu viens ?

Blandine avait dit exactement la même chose, au même endroit, dix ans plus tôt.

Le front appuyé au vent, collés l'un à l'autre, ils suivent le chemin des douaniers, la mer toujours à droite agitant ses jupons d'écume dans un cancan ébouriffant.

– Asseyons-nous là un instant.

À leurs pieds, les blocs de granit rose s'amoncellent en un chaos originel, suggérant des animaux bizarres en voie d'élaboration.

– Regarde, on dirait une tortue !… Et celui-là, un chien triste, et là…

– Tu sais comment s'appelle l'endroit où nous nous trouvons ?

– Non.

– Le Trou du serpent. Selon la légende, c'est ici que saint Pol s'est débarrassé du dragon qui terrorisait les habitants de l'île. Écoute, en se penchant au bord du trou, le ressac des vagues émet un bruit particulier, une sorte de rire. Viens…

Madeleine s'approche prudemment.

– Les jours de tempête ça doit être terrible !

– Terrible.

– Mais avec toi je n'ai pas peur. De rien… Si tu savais comme je suis heureuse, d'être là, avec toi, entre le ciel et l'eau. On ne peut pas être plus heureuse… Gabriel, qu'est-ce que tu as ?…

Au fond du trou, l'eau tourbillonne, lape la roche, vorace… *On ne peut pas être plus heureuse…*

– Gabriel ?… Ça ne va pas ?

C'est haut, en bas, très haut… Il suffirait d'un pas de danse, un demi-tour de valse et Madeleine, comme José, comme Rita, comme… serait heureuse à tout jamais…

– Gabriel, tu me fais mal, tu me serres trop…

Et les vagues, en dessous, d'applaudir, d'applaudir !…

– Et comme boisson, avec le tourteau, vin blanc ?
– Oui, s'il vous plaît.
– Et une carafe d'eau !
– Bien madame.

La Bernique amoureuse est le seul restaurant ouvert de l'île. On a le choix entre tourteau et tourteau. Ils sont énormes, pareils à des chars d'assaut. Madeleine tripote les différents outils de chirurgie destinés à extraire la chair blanche de la bête ouverte en deux, pattes en l'air, trônant dans son assiette. Gabriel, les yeux mi-clos, la regarde au travers du voile mouvant de sa fumée de cigarette.

– Ils sont énormes ! Je ne sais pas par où commencer.

– Veux-tu que je casse tes pinces ?

– Je veux bien, oui.

Gabriel s'y emploie à l'aide d'une sorte de casse-noix ayant lui-même la forme d'une pince de crabe.

– Tu sais, tout à l'heure, devant le Trou du serpent… C'est idiot, mais… j'ai cru que tu allais me pousser dedans.

– Ah bon ? Pourquoi aurais-je fait ça ?

– Je ne sais pas. Tu me serrais tellement fort et nous étions si près du bord… Il y avait autant de vide dans ton regard qu'il y en avait dans mon dos.

Gabriel n'avait pas pu. Madeleine avait atteint le point culminant d'un bonheur qui ne se reproduirait jamais plus. La suite de son existence ne pourrait être qu'une lente et fastidieuse dégringolade. La faire disparaître à l'apogée de son rayonnement et qui plus est, dans son élément de prédilection, semblait une évidence. Mais il n'avait pas pu. Ses mains crispées sur les épaules de la jeune femme étaient retombées, molles, au bout de ses bras ballants contre ses cuisses. Son crâne résonnait des rugissements qui montaient du fond du trou, de ce tourbillon de gelée verte écumante, indignée qu'on lui refuse sa pitance. Madeleine s'était vivement éloignée de deux pas en se massant les épaules, le regard vacant, la bouche entrouverte.

– Allons-nous en, Gabriel.

– Oui… Oui, bien sûr. Tu n'as pas faim ?

Jusqu'au restaurant, ils n'avaient plus échangé une parole.

Quatre autochtones, casquette vissée au ras des yeux, tapent le carton à une table près de l'entrée. Selon les aléas du jeu, ils poussent des grognements, des onomatopées gutturales. Le décorticage du crabe et la tenue d'une conversation, même banale, ne sont pas compatibles. À l'instar des joueurs de belote, Gabriel et Madeleine n'avaient émis que des bruits de succion, de mastication, entrecoupés de craquements secs. À présent, le plateau déborde

d'éclats de carapaces et de boulettes de rince-doigts
parfumés au citron.

– À quelle heure est le bateau ?
– 17 heures, je crois.
– Et après ?
– Après quoi ?
– Une fois arrivés de l'autre côté ?
– Après…

À peine les amarres larguées, l'île s'est dissoute. Il n'en subsiste que quelques gouttes de lumières clignotantes enfilées sur la ligne d'horizon. La nuit est tombée sans qu'ils s'en aperçoivent. Même en s'agrippant fermement au bastingage il est difficile de se tenir debout tant la coque rebondie du bateau se fait ballotter par le roulis des vagues. Mais Madeleine a insisté pour rester sur le pont. Ça sent le sel et le goudron.

– J'ai l'impression que cette île n'a existé qu'un jour, juste pour nous... Je n'y retournerai jamais.

C'est sans tristesse, sans regret ni remords que Madeleine a prononcé ces derniers mots. C'est juste une constatation : « Je n'y retournerai jamais. »

– S'il vous plaît, messieurs dames, il ne faut pas rester sur le pont, c'est trop dangereux par ce temps.

La voiture de José les attend sur le quai, fidèle, résignée.

– Veux-tu boire quelque chose de chaud avant de prendre la route ?

– Non. Partons tout de suite.

À nouveau, les noms de villes et de villages apparaissent et disparaissent dans le pinceau des phares, mais en sens inverse, comme un film qu'on rembobine. Parfois, au patronage, Gabriel aidait le curé à démonter le matériel de projection. C'était magique de voir Charlot remonter d'un bond en arrière sur le toit d'où on l'avait vu tomber un quart d'heure plus tôt. Bien sûr, c'était du cinéma, mais tout au fond de lui Gabriel croyait dur comme fer qu'il devait être possible d'en faire autant dans la vraie vie ; un tour de manivelle et hop ! on efface tout et on recommence.

– Gabriel, tu sais, je crois que je vais faire ce que tu m'as conseillé.

– C'est-à-dire ?

– Partir dans une île au soleil. Trouver un petit boulot dans un petit hôtel et peut-être, même, un petit mari… Et puis nager, nager, sans penser à rien…

– C'est une très bonne idée, Madeleine.

– Oui, je crois. Tu peux t'arrêter à la station-service, là-bas ? J'ai envie d'un café. Tu voudras bien aller m'en chercher un ?

– Certainement.

Une bourrasque de vent s'engouffre dans l'habitacle quand Gabriel ouvre sa portière. On dirait que quelqu'un pousse de l'autre côté pour l'empêcher de sortir.

– Avec ou sans sucre le café ?

– Avec.

Juste avant de s'extirper de derrière le volant, Madeleine le retient par la manche.

– Gabriel ?...

– Oui ?

– ... Merci.

Une dame d'un certain âge lutte avec le distributeur de boissons. Ses doigts fébriles appuient sur toutes les touches mais en vain.

– Vous permettez ?

Du plat de la main, Gabriel frappe le flanc de la machine qui s'exécute aussitôt en faisant tomber un gobelet dans lequel se déverse par saccades un jus marronnasse.

– Merci, monsieur, vous êtes bien aimable.

– À votre service.

Adoptant la même méthode, Gabriel remplit du même liquide indéterminé son godet de plastique mou.

Dehors, à la place de la voiture, il ne trouve plus que son sac, abandonné sur le bitume. Il n'y a pas plus de quatre ou cinq voitures garées sur le parking, mais celle de José n'y est pas. Le café n'a pas le temps de refroidir avant qu'il ne comprenne. Madeleine est une fille bien. Elle a fait ce qu'il fallait faire. Il ramasse son sac, jette le gobelet dans une corbeille et se dirige du côté des pompes.

La lumière crue des néons allume des arcs-en-ciel nocturnes dans les flaques irisées d'essence. Plus besoin de lever la tête pour admirer les étoiles, elles se sont toutes foutu la gueule par terre, on peut marcher dessus, s'en éclabousser ses chaussures. Une voiture s'apprête à démarrer, une petite Austin, une sorte de jouet. Gabriel frappe au carreau.

– Excusez-moi, madame, est-ce que vous pourriez me déposer à la gare la plus proche ?

– Je vais à Morlaix… Ah, c'est vous qui m'avez aidée à la machine ?… Allez, montez.

C'est tout petit, là-dedans, pas plus grand qu'une boîte d'allumettes familiale. Son sac sur les genoux, Gabriel s'installe tant bien que mal. Ça sent la menthe.

– Merci beaucoup.

– En principe je ne prends jamais d'auto-stoppeurs, mais comme vous m'avez aidée au distributeur, c'est la moindre des choses. On se connaît un peu, quoi. Et puis Morlaix, ce n'est pas loin, vous n'auriez pas le temps de m'assassiner.

On rit. La dame comme un cristal fêlé et Gabriel, jaune, car elle conduit par à-coups, le nez au ras du volant, le front touchant presque le pare-brise.

– Vous savez, je me suis plainte à la caisse. Elles ne fonctionnent pas leur machine à café. Mais je t'en fiche !… Et pourtant, j'avais bien suivi toutes les indications !

– Je n'en doute pas.

– Voulez-vous que je vous dise… Je n'y crois pas un seul instant à leur progrès. Tenez, c'est comme le téléphone. Mes enfants m'ont acheté un portable parce que ça les rassure. Eh bien ! vous me croirez si vous voulez, mais ça ne marche jamais ce truc-là. Et c'est toujours de ma faute, je ne suis pas au bon endroit, je n'ai pas rechargé les batteries, je n'ai pas appuyé sur la bonne touche, que sais-je encore ! Ils ont toujours une bonne raison pour me faire croire que c'est toujours moi qui m'y prends mal. Ils

180

m'ont offert un ordinateur aussi, pour être plus près de moi, paraît-il. Du coup, je ne vois mes petits-enfants qu'en photos et je ne reçois plus de cartes postales… C'est un monde de jeunes, plein de boutons… Enfin, c'est comme ça… Dites, sans vouloir vous offenser, vous n'êtes pas un peu vieux pour faire du stop ?

– C'est une histoire idiote, un rendez-vous manqué.

– Vous allez loin ?

– Au sud.

– C'est bien le sud quand on vieillit. Cannes, c'est joli… Mais qu'est-ce qu'ils trafiquent là-bas ?…

Un festival de gyrophares lance ses anneaux bleus dans la poix du ciel et un gendarme revêtu d'un gilet fluo fait signe aux autos de ralentir. En passant au pas devant lui la dame baisse sa vitre.

– Qu'est-ce qu'il se passe ?

– Un accident.

– Grave ?

– Un mort, une femme. Elle aurait voulu se tuer qu'elle ne s'y serait pas prise autrement. Une ligne droite… À moins qu'elle ne se soit endormie au volant… Vous pouvez avancer, s'il vous plaît ? il y a du monde derrière.

La voiture de José n'est plus qu'une compression de métal fumant au pied d'un mur que de jolis pompiers aux casques rutilants s'affairent à recouvrir de neige carbonique.

– Les gens roulent comme des fous ! Ils roulent à toute vitesse et pour aller où, je vous le demande ?

– Dans une île.

– Pardon ?

– Non, rien, je disais ça comme ça.

C'est un quai de gare désert où s'enchevêtrent des poutrelles métalliques sur fond d'incertitude...

L'Année sabbatique
P.O.L., 1986

Surclassement
P.O.L., 1987

La Solution Esquimau
Fleuve Noir, 1996
Zulma, 2006

La Barrière
Folies d'encre, 1989

La Place du mort
Fleuve Noir, 1997
Zulma, 2010
et « Points », n° P2946

Les Insulaires
Fleuve Noir, 1998
Zulma, 2010

Trop près du bord
Fleuve Noir, 1999
Zulma, 2010
et « Points », n° P3156

L'A26
Zulma, 1999, 2009

Chambre 12
Flammarion, 2000

Nul n'est à l'abri du succès
Zulma, 2001, 2012

Les Nuisibles
Flammarion, 2002

Vue imprenable sur l'autre
Zulma, 2002

Les Hauts du Bas
Zulma, 2003, 2016

Parenthèse
Plon, 2004

Flux
Zulma, 2005

Comment va la douleur?
Zulma, 2006, 2015

Lune captive dans un œil mort
Zulma, 2009
et « Points », n° P2631

Le Grand Loin
Zulma, 2010

Cartons
Zulma, 2012

Vieux Bob
Éditions In8, 2014

RÉALISATION : IGS-CP À L'ISLE-D'ESPAGNAC
IMPRESSION : CPI FRANCE
DÉPÔT LÉGAL : DÉCEMBRE 2016. N° 135104 (2027278)
IMPRIMÉ EN FRANCE

Éditions Points

Le catalogue complet de nos collections est sur
Le Cercle Points, ainsi que des interviews de vos
auteurs préférés, des jeux-concours, des conseils
de lecture, des extraits en avant-première…

www.lecerclepoints.com